目次

死神のささやき

水木しげる

コケカキイキイ外伝《4》

死神のささやき

三島由紀夫も
えらいこと
したもんじゃな

おじいさんや
昔
息子が
戦死した
時代に
かえるん
じゃないかなぁ

孫も一人前に
なるころには
徴兵令で
また
引っぱられる
んじゃない
かなア
そんな
不吉なこと
いいなさんな

せっかく
のんびりした
老後を
たのしもうと
思っとる
のに……
ピシャッ

あ　おじいさん
孫の健二が
「生きてる人間が
バカみたいな
気がする」
といって
家出
しましたが…

こまったことばかりじゃのう……

うわー
どうしたの

切腹ごっこして腹をけがしたの……

まったくうるさいこれというのもみんな
三島ショックのしわざじゃ

なあ一郎おまえ三島由紀夫の死をどう思う
おとうさんそれだけはやめて下さい

あれは計算されたはなもちならぬ死に方です目にふれるのもいやです

そんなに不快感があるのかなあ

あるといったらあるんです三島の話はやめて下さい
ムシャクシャ
プリッ
おいどうした
おじいさんがあんまりしつこくいわれるからですよ
わしゃあちょっと話しただけだ
面白くもない
ガチャン

静かなるべき
わしの生涯も
めちゃめちゃ
だ

三島の霊が
わが家を
荒らすのだ

これはきっと
三島の霊魂が
落ちつくべき
ところに
落ちついて
いない
せいだろう

なにも
こんな問題は
こっち
ばかりじゃ
ないだろう

おじいさん
そりゃあ
コケカさまに
かぎりますよ
あっ
見知らぬ
わらべ……

コケカさまは
老人問題にも
理解のある
カッコ
よくない
くず人間の
味方なのです

すると
現代のカミ
なのか
そうです

では
お願いして
みましょう

ゴニョ
ゴニョ
ゴニョ
太吉は
老人の悩みを
念じて
コケカに
告げた……。

ポアー!

ゴー!

あっ
どこへ
死神の
ところだ

こりゃ
死神の
タイマンも
いいとこだ

あっ
コケカちゃん
じゃないの
久しぶりだねぇ

三島由紀夫の
霊魂を
探してるんだ
あっと
オレ
ちょっと
いそがしいんだ

ビュッ
あっ

どう
なんだ
霊魂なら
あの世だ
「亡者の国」
だよ

じゃあ
オレいくよ

こまるなあ

じゃあ
オレも
ついて
いって
やるよ

ゴロ
ゴロ
ゴロー！

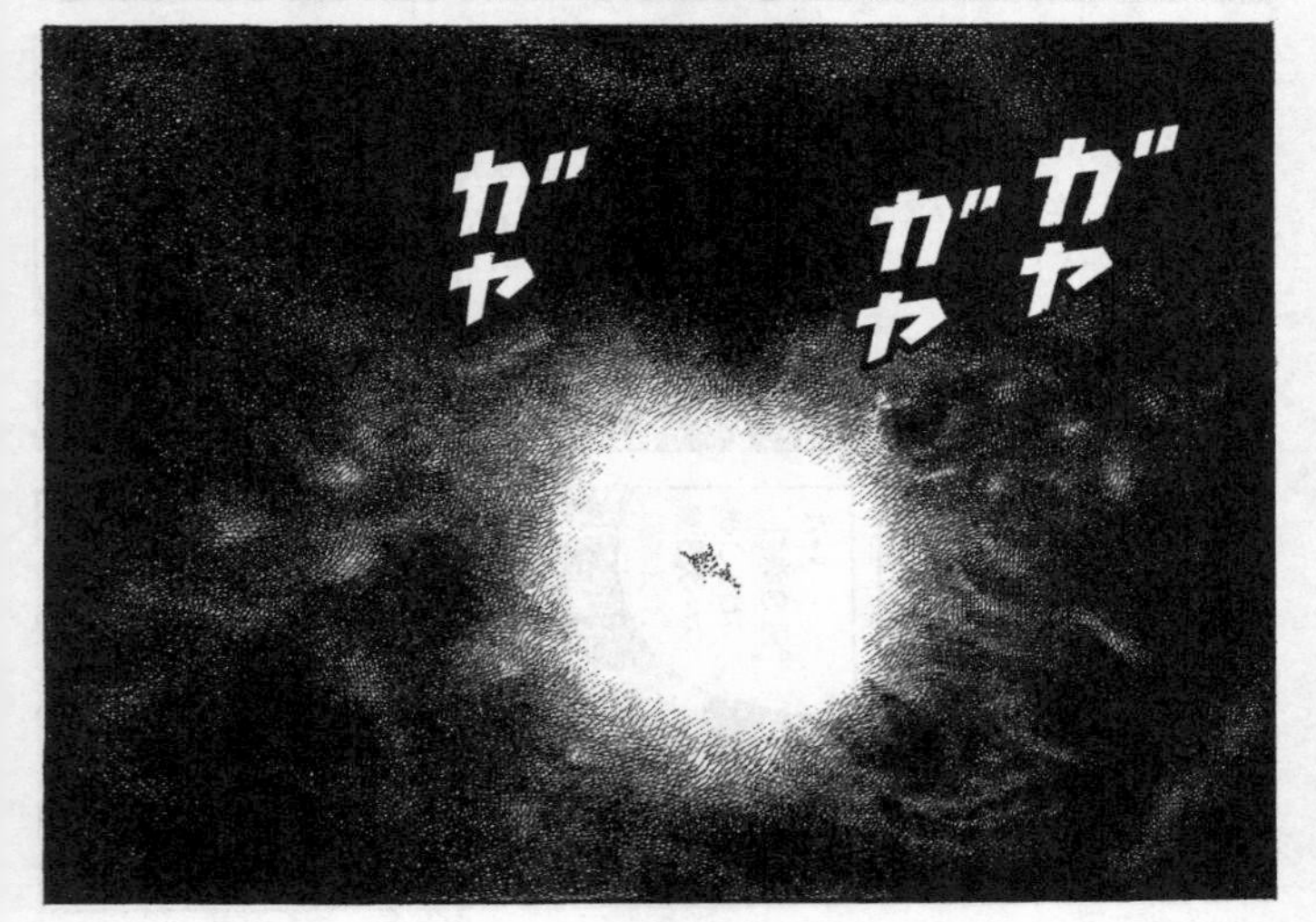
ガヤ
ガヤ
ガヤ

がやがやがやがやが

川島さん
久しぶり
です
なあ

大宅さん
三島さん
は
どこ
ですか
三島くんは
まだ
きてない

おかしい
なあ
霊魂を
ここへ
連れて
くるのは
おまえの
役目だった
じゃないか

なにしろ
いそが
しくて
コケカ
ちゃん
「亡者の国」
はいまパーティ
なんだ
一パイやったら

すたすたすた
おい
どこへ
いくんだ

ちょっと
エンマさまに
きいて
みようと
思って

すべてを
話すから
そいつだけは
やめて
けれ

そんなことは
どうでもいいんだ
三島さんの
霊魂を
どこに
かくしたんだ
真実の告白を
するから
静かにしてくれ

おめえも
知ってのとおり
死神の仕事は
生者と死者の
バランスを
とるのが
仕事だ
ところが
最近は
戦争はないし
医学は進むし

生の〆切が
延びやがって
エンマ
さまの
キゲンが
わるいんだ
そういえば
バランスが
くずれて
人が増えすぎた

人間は真剣に
人口問題を考えたら
夜眠れなくなる
はずだ

死神だって
ノルマがある
ノンキにして
られねえ
なんとか
しなく
ちゃあ
………
そう
十年前
だったか

わしは
一流の人の
ところへ
現れたネ
ロココ風の
建物だったネ

キキキキッ

なんだろ

キチキチバッタかね

夜分お騒がせしてすみません

誰
どなた……

死神でやんす
死神!!

正直いって
死神を引きつける
くらいの脳波を
出す人は
シェークスピアと
ゲーテと
三島さん
ぐらいの
ものです
そうかよ
ブランデーでも
どう

よく
思い上がった
英雄や天才が
悪魔やイカモノを
愛する
ように……

三島もオレを
愛したね
誰もいない
真夜中
よく二人は
のんだ

すると君は
三島さんを
利用して
憲法を改正し
徴兵制を
しいて
武士道と
やらを
復活させて

戦争をたくらんで
大量の死者を
得ようと
したんだな
大きな声で
正直なこと
いうなよ

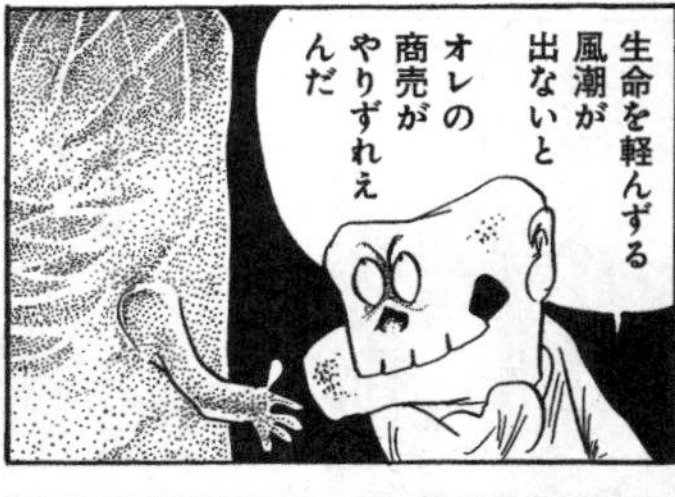
生命を軽んずる
風潮が
出ないと
オレの
商売が
やりずれえ
んだ

ネズミでも
モルモットでも
そうだが
……
つねに
スポットライト
を
浴びていると

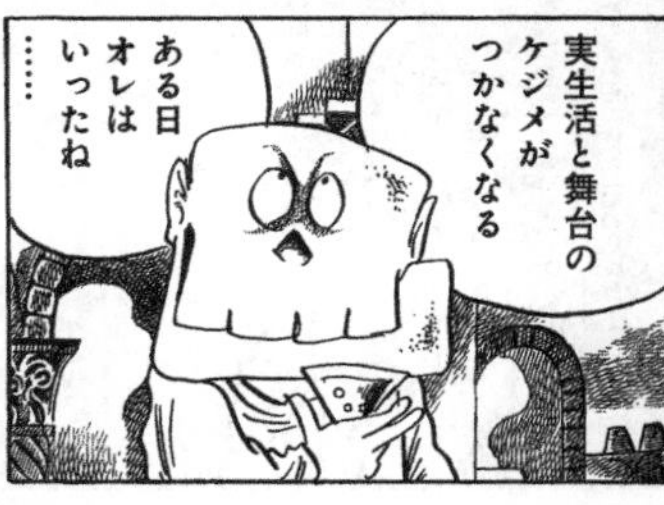
実生活と舞台の
ケジメが
つかなくなる
ある日
オレは
いったね
……

三島ちゃん
まったく
クダラナイ
世の中ね

どう
スポットライトの
あたり
ついでに
どう…
おのれの
人生の
ラストシーンを
キリリと
しめてみない

小説でも
なんでも
ラストが
かんじん
ですからネ

なんのこと

自分の死を
自分で
演出するの
です

とくに
クーデター
なんか
やらかしたら
永遠に
モテモテよ

話は
そこまで
聞けば
わかったよ

すべて
おめえのしわざ
だったんだな
それで
おめえ霊魂を
どこへかくし
たんだ
俺の家
だよ

世の中を
不安にして
おいて
一人でも
死者を
増やそう
という
コンタン
だろう
とにかく
規則どおり
「亡者の国」へ
運んでくれ

そうしないと
エンマさまに
すべてを
ぶちまける
ぞーっ
わかったよ
コケカ

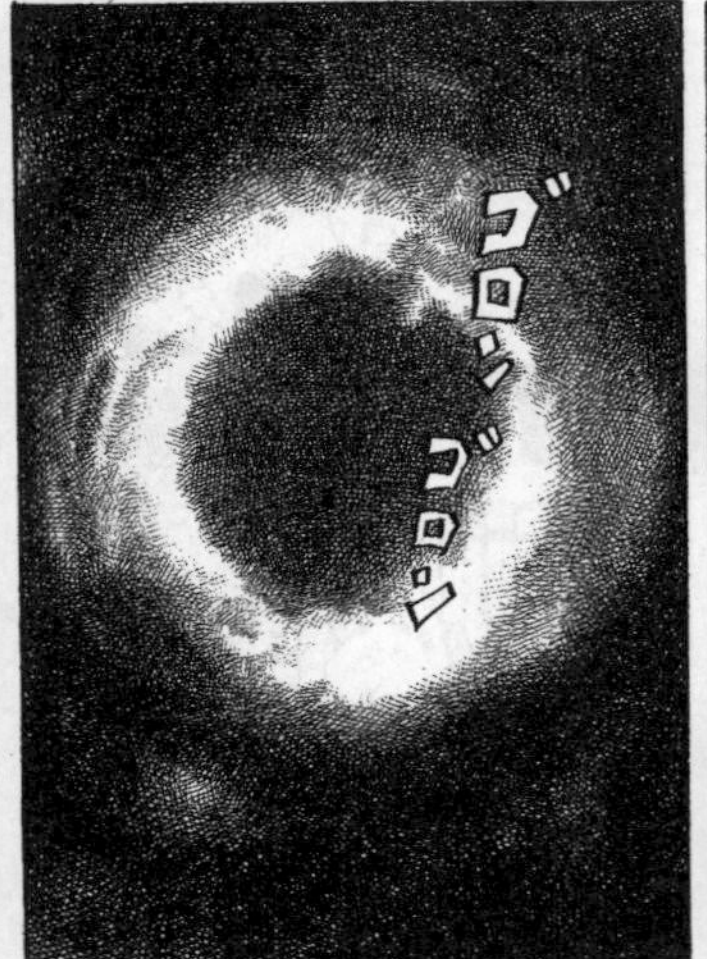
ゴロン
ゴロロ

ここ
だな

死神くん
これ
誰

コケカ
キイキイって
いう
くだらん
神ですよ

こいつが
三島さんの霊魂が
「亡者の国」に
いってない
ことを
見つけた
のです
この世の
規定どおり
いきましょう

だめだ
よ
クーデターが
起こるまで……

三島さん
こいつに
見つかったら
まずいの
ですが

じゃあ
しょうがねえ
いくか

うわはははは

わが夢破れたり

ゴロンゴロン
三島の魂が「亡者の国」に連れてゆかれると世の中はふたたび静かになった。

やれやれ
すべて死神のしわざだったんか……人騒がせな……
COIF
MADOKA
マドカ

死神

三遊亭円朝／三遊亭金馬（二代目）

そのむかしは子どもができますと、名づけ親というものをこしらえたもので、金がありますと、すぐに名づけ親になる人がございまして、子どもに名がつけられたものでございますが、貧乏人はいつまでも名をつけることができません。ちょっと名づけ親を頼むにも三両の金がいりました。三両ないと子どもが生まれましても名をつけることができなかったので、しかしまあ妙な習慣でございました。それがためにむやみに子どもに権兵衛という名をつけました。名無しの権兵衛というのはこれから始まった。三両の金があれば、いつでも名づけ親になり手がございました。

女「ちょいとおまえさん、子どもができたってお金がなくっちゃあ名づけ親になってくれ手がない。どうするつもりだえ」

亭「どうするにもねえものはしかたがねえ」

女「しかたがねえって落ち着いてちゃあしようがないよ」

亭「しようがねえったってしようがねえ」

女「だけどもさ、お金というものはね、世間に幾らも落っこっているもんだよ。少し行って拾っておいでな」
亭「冗談言っちゃあいけねえよ。そうむやみに拾えるものか」
女「拾えないったって、落ち着いてちゃあなお拾えないじゃないか。三両あればいいんじゃないか。三両ばかりのお金がおまえさんできなければしかたがないよ。おまえさんも男だろう」
亭「そうよ」
女「男なら三両ぐらいのお金ができないということはないよ」
亭「それあこしらえろというんならできらあ」
女「できるならこしらえておいでな」
亭「そんな無理なことを言うな。いますぐにはできねえ」
女「じゃ、やはりできないんじゃないか。おまえさん、三両ばかりのお金ができないなら死んでおしまいよ」
亭「ひどいことを言やあがるな。おれだって男だ。こしらえてくらあ」
女「きっとこしらえておいでよ。できなかったら死んでおしまい。それもただ死ぬのじゃない。豆腐の角へ頭をぶつけて死んでおしまい」
亭「ひどいことを言やあがる。豆腐の角へ頭をぶつけて死ねるものか。よしこしらえてくるぞ」
女「きっとこしらえておいでよ」
それから表へ飛び出してまいりました。
ぶらりぶらり歩いているうちに大川端（おおかわばた）へ出てきました。
亭「うちのかかあもひどいことを言やあがるな。三両の金ができなければ死んでしまえと言った。それも豆腐の角へ頭をぶっつけて死んでしまえと言やあがった。あんな柔らかいものへ頭をぶっつけたって死ねるものか。しかしおれもいくじがねえな。三両の金ができねえなんて。……待てよ、家（うち）をいばって出てきたけれど当てがない。当分貧乏神にとりつかれているんだな。金がねえのは首のねえのに劣るというが、してみるというと、おれは首がねえようなもんだな。首がなければ人間死んでるようなもんだ。いや貧乏神よりこれあ死神だ——」
うしろから
「エッ」
亭「おまえさんなんだ」
死神「おれは死神だ」
亭「ええ」

死「死神だよ」
亭「へえ死神……死神がなんだってここへ来たんだ」
死「いまおまえが呼んだろう」
亭「いいえ」
死「だっていまおまえ死神と言ったじゃあないか」
亭「なに、言やあしませんよ。ここでいま考えていたんだ。かかあに子どもができたんで、ところがその、三両の金がなくては名づけ親になってくれ手がないんで、うちのかかあの言うには、三両ばかりの金ができなければ、死んでしまえと言うんで、それも豆腐の角へ頭をぶっつけて死ねと言うんで、わたしもしゃくにさわるからこしらえてくると言ってここまで飛び出してきたんで、しかし当てがねえんでどうしようと考えているんで、でげすからまあ金のねえのは首のねえのに劣る、首がねえようなもんだ、首がなければ死んでるようなもんだ、いやわたしは貧乏神じゃあねえ、死神だとこう言ったんでござえます」
死「ああ、そうか、おまえが死神だといったものだから、おらあうっかり出ちまった。しかしまあおまえとおれとは縁があるんだな」
亭「冗談言っちゃあいけません。死神なんぞには縁がねえほうがいい」

死「そうきらうな」
亭「きらいまさあね、死神なんぞ」
死「そう死神死神と言うな。しかし袖すり合うも他生の縁、つまずく石も縁の端ということがある。おまえとおれと縁があるんだ。どうだい話し相手になってやろう」
亭「まあようございますよ。ごめんをこうむりましょう」
行きかけるやつを、
死「おいおい、待ちなさい。まあ少し待ちなよ。どうだい、金がもうかったらいいんだろう」
亭「へえ、それあ金ができりゃいいんで」
死「金ができるようにおれがしてやろうじゃないか」
亭「冗談言っちゃいけませんよ。死神に……」
死「いちいち死神死神と言やあがる。おれの言うことをきけば、きっと金ができる。あした商売替えをして医者になんな」
亭「だって医者になっても脈をとることもできません。第一薬を盛ることを知らねえ」
死「なに、薬なんぞを盛らなくってもいいよ。おれがついていればだいじょうぶだ。

人間の寿命というものは、たいがいおれにわかっている。いくら患っていても、寿命のある者は助かる。ぴんぴんしていたからって寿命のねえものは死ぬ。ほかの者にはわからねえけれども、おれにはわかるんだ。ほかの人の目にはつかねえ、おまえの目にだけつくように、病人のところへおれが先へ行っている。迎いに来たら行ってみて、脈をとらなくってもいい。病人の寝ているそばにおれがいる。しかしよく覚えておきなよ、おれが裾のほうへ座っていたら、その病人は必ず助かるんだ、寿命があるんだ、いくら重い病人でも。その代わり枕もとのほうへおれが座っていたらとても助からない。それを覚えていな。おれが裾に座っていたらこの病人は死ぬ気遣いはない、助かりますと請け合っちまう。むこうで強って薬をくれろと言ったら茶でもなんでも沸かして切っておく。どうしても寿命のあるやつは助かるんだ。その代わり枕もとへ座っていたらこれはとても助かりませんと言い切ってしまえ。それを覚えていて行きな」

亭「なるほど、これあ恐れ入った。それじゃあわたしも助かります。まあ一つ看板を掛けますから、どうか助けておくんなさいよ」

死「よしよし、きっと金ができるぞ」

これから家へ帰りまして、怪しい看板を門口へ掛けました。

○「今日は」

亭「だれだえ……おお竹さんかい、どこへね」

△「うちのね、お店でげすがね、お嬢様が長いこと患っていらっしゃるんで、どんな医者へ診せても験が見えねえんで、方角が悪いんじゃないかというので、占者に見てもらうと、こっちの方角の医者にかけるとすぐに治るというんで、頼まれて探しにきたんだ。どうだろう、この辺にいい医者はあるまいか」

亭「うむ、なるほど……どうだいおれが行こう」

竹「ええ」

亭「おれが行こう」

竹「いいえ、医者様を探すんで」

亭「だからおれが行こうと言うんだ」

竹「おまえさんは医者じゃあないじゃあないか」

亭「それが医者だ。きょうから医者だ」

竹「冗談言っちゃあいけねえ。そんな怪しい医者は連れて行かれませんよ。わたしの大事な店なんだから」

亭「なに、おれはいい医者だ。病人を診て、助かる病人なら助けてやろうじゃあないか。助からねえものならどうしたって助からねえ。それがわかりさえすればいいんだ。だからおれを連れていきな」
竹「よわったたな。こいつとんでもねえことを言った。大事な店だから」
亭「いいってことよ、心配するな。連れて行け連れて行け。おめえも言ってもねえや。これっきりだ。さあすぐに出かけよう」
竹「驚いたな、こいつは」
これから二人連れだって出かけました。
竹「ここの家なんだ、中へへえっちゃいけねえよ。少しそこに待っていてくんな……へえ旦那、行ってまいりました」
旦那「大きに御苦労御苦労。探した医者が見つかったか」
竹「へえ、めっかりましたがわたしが断わったので。ところがむこうで勝手についてきちまったんで」
旦「先生か」
竹「へえ、これはどうも怪しい医者なんで」
旦「なんだってそんな者を連れてきたんだ」
竹「これはきょうからの医者なんで」
旦「ふざけちゃいけない。あれほどおまえに頼んだじゃないか。いい医者を頼んでくれと」
竹「ところがいい医者だからおれが行こうというんで、くっついてきました。けっして悪い了見で連れてきたわけじゃないんですから、どうかまあ御勘弁なすって」
旦「来たものはしかたがねえ。脈でもとらして、薬をのまなければ、いいだろう。こちらへ上げなさい」
竹「へえ……おい、先生、こちらへ」
亭「はいはい……これはこれは」
旦「おい、これが先生かい。まあどうも御苦労さまでございます。先生、とにかく病人を御覧なすって。薬などはどうでもいい——」
亭「ああ薬はどうでも、診さえすればいい。御病人は……なるほど、お娘御かな、まだ年がお若いな……うむ御心配だな」
ひょいと見ると裾のほうに死神が座っております。こいつは占めたと思って、
亭「おい親御さん、この御病人は助かる。死ぬ気遣いはけっしてない……なに薬、薬はのまずともよい。強いてくれろと言えばあげるが、茶でも沸かしてあげるくらいなものだ。治りますよ。だいじょうぶだ。わたしが請け合ったからだいじょうぶだ。また来ますよ、さようなら」

のんきな医者があったもので、この医者が帰ってしまうと、この病人がたちまち助かりました。さあこれから評判になりました。間のいいときには妙なもので、どの病人もどの病人もみんな助かるから、それがためにたちまちのうちに金ができました。人間というものは金ができるとぜいたくになりますもんで、それから一つ京大阪のほうを見物しようというんで子どもにはりっぱな名づけ親をこしらえまして名をつけ、女房と子どもを連れて、所帯をしまって京大阪のほうへ見物に出かけました。金のあるのに任してあまりぜいたくをしたんで、しまいにまた一文なしになってしまいました。帰ってきたときにはもう家がない。第一医者になろうにも死神が相手で、死神の居所がとんとわかりません。やっこさん大川端へ来て、ぼんやり突っ立って、

亭「ああ、家を聞いておくんだっけ。弱ったな。死神がいなくっちゃあ医者になることができねえ。ここで呼んだときに返事をした。ひとつ呼んでみようかしら」

と言ううしろへ死神が立って、肩をポンとたたいて、

死「おい、なにを考えているんだ」

亭「いやこれはこれは。どうもその節はいろいろごやっかいになりました。おかげで子どもにりっぱに名をつけられました。金もできましてありがとう存じます。あのときは助かりました」

死「どうした。どこへ行ってきた」
亭「実はその京大阪のほうへ修業に出かけました」
死「なんの修業に」
亭「医者の修業に」
死「馬鹿なことを言うな。おれがついていれば修業もへちまも要るものじゃあねえ。金はどうした」
亭「ところが一文なしで。どうかもう一度、助けてもらいたいもので、あしたから看板を出しますが」
死「金はみんな使ってしまったのか」
亭「へえ、きれいに使っちまいました」
死「なに、使っちまった。そうむだなことをしちゃいけない。おまえはなんと言った。三両の金に困って子どもに名をつけることができないと言うからおれが助けてやるんだ。金ができたからいいというんでみんな使ってしまうというものがあるか。勝手にしろ。もうおれはかまわねえ」
亭「そんなことを言わないで、もう一度助けてくださいな。なにしろ帰ってきて一文なしで、どうするにもしかたがないんで」

死「そうか、それじゃもう一度助けてやろう。その代わりこんど金ができたらむだに使わないようにしろ」
亭「へえ、もうこんどはできれば大事にしますから」
これからまた先(せん)の家のそばへ家を借りてここへ看板を上げました。先(せん)にもう評判になっておりますから、すぐに患者が来ました。
△「ええ、ごめんください、ごめんください」
亭「はい」
△「ええ、わたしは佐久間(さくま)町の伊勢喜(いせき)からまいりました」
亭「はあはあ」
△「主人が長らく患っておりまして、どこの医者へかけましてもとんと験が見えません。先生はその病人を見るばかりで治してくださるということを承りましたが、どうか先生にすぐにおいでを願います」
亭「ははあ佐久間町の伊勢喜さんか、よろしい御大家(ごたいけ)の。さっそく伺います。これでいい。すぐに行きましょう。早いほうがいい」
△「さようでございますか。ありがとう存じます」
それからいっしょに連れだって出かけました。

△「へえただいま。先生おいでになりました」
支配人「ああ、そうか。どうぞ先生、こちらへ」
亭「はいはい、これはこれは。御病人は……」
支「どうぞこちらへ」
亭「はあこれが御当家の御主人か」
支「はい」
亭「だいぶお年を召していらっしゃるな。うむ、御心配だな」
ひょっと、寝ている病人の裾のところを見ると、死神がいない。枕もとを見ると枕もとにぴたりと座っている。
亭「いや御支配人」
支「へえ」
亭「お気の毒だがこの病人はとても助かりません」
支「へえ先生、助かりませんか」
亭「寿命がない」
支「寿命がございません」
亭「まことにお気の毒だ」

支「それは困りましたな。先生のお力でどうか一度助けていただきたいもんで」
亭「わたしは助けてあげたいけれども寿命がない」
支「へえ、いかがでございましょう先生、いま死なれますと困りますが、千両ぐらいなお礼はいたしますが、ひとつ先生のお力で助けていただきたいもので」
亭「なにあの御病人を助ければ千両くださる。あの千両——」
死神のほうへ向かって小さな声で、
亭「いま一文なしですがね、助けてもらいたいものですがどうでございましょう。千両になるんですが、へえ助からねえ……いや御支配人、これはお気の毒だが千両ではとても助かりません」
支「へえ、千両でも助かりませんか。では二千両出しますが」
亭「二千両……」
また死神のほうへ向かって小さな声で、
亭「二千両になるんですがな、どうでございましょう。なんとかして助けるわけにはいきませんか……いけねえ……いや御支配人、二千両でもとても助かりません」
支「へえ、いけませんかな。せめて本年いっぱいも生かしておきとう存じますが、三千両出しますが」

亭「三千両、この病人を助けると三千両……ええちょっとお耳を拝借……いかがでございますか、御当家に力のある、手ばしこい者が四人おったら集めていただきたいので」

支「へえ、それはたくさんおりますが、どういたします」

亭「この病人の布団の四すみを持ってもらって、早くないといけませんよ、わたしが膝をたたくとたんにあの病人をむこうに向きを変えちまうんで。そうしたら助からないこともない」

支「なるほど。へえ、ようございます」

これからたちまち家にいる、力のある手ばしっこい者を四人連れてまいりまして、寝ております病人の布団の四すみをつかんで、膝をたたくとたんにぐるりと向きを変えてしまいました。こんどは死神が裾のほうへ行ったからそれがためにこの病人がたちまち助かりました。大喜びで三千両の金をもらって帰ってくると、家には先へ死神が来て座っている。

亭「おや、どうもお早うございますね。さきほどは相済みません。あんなことはしたくなかったんですが、なにしろまあ帰ってきたばかりで一文なし、ところへ三千両と言うもんですから、あんなことをしましたが、どうか悪く思わないで」

死「おいなんだい、あのまねは。おれにペテンを食わせやあがった、助からない者を無理に助けて。あの病人はどうしても助からないんだよ。それを無理に助けやあがって、礼をもらったか」
亭「へえ、三千両もらいました」
死「もらったらいい。まあおれといっしょに来な」
亭「へえ」
死「おれといっしょに行きな」
亭「どこへ行きまするかな。どうか悪く思わないで」
死「まあいいからついて来な……ほうら、ここだ。ここがおれの家だ」
亭「へえ、りっぱなもんでございますな。石の門が……」
死「さあこっちへはいんな……」
亭「おやおや、真っ暗でげすな」
死「黙ってついて来なよ」
亭「おや、これあ驚いた、急に明るくなってきました。これあたいへんなろうそくでございますな。これあなんでございましょう」
死「これはみんな人間の寿命だ」

亭「ええ」

死「人の寿命だよ」

亭「なるほど、人間の寿命というものはろうそくの燈のごとくだと言いますが、なるほどほんとうですね。恐れ入ったな……ここのところに恐ろしい目だった一本、まだ火がついたばかりで威勢よく燃えてますな。これあどこのだれというのがすぐにわかりますか」

死「ああわかる」

亭「へえー、たいへんなもんだな」

死「これはなんだよ、おまえのせがれだ」

亭「わたしのせがれ、これは恐れ入った。まだ寿命があって、盛んでげすな、達者でげすな。まずありがたいな……この隣に半分ばかりになって燃えてますな」

死「うむ、それはおまえの女房だ」

亭「ええ」

死「おまえの女房だよ」

亭「わたしの女房、なるほど、まだまだ寿命がございますなわたしの女房も……おやおや、この隣にもう少しでいまにも消えそうになっている」

死「それがおまえの寿命だ」
亭「ええ」
死「おまえの寿命だよ」
亭「これがわたしの寿命……」
死「そうよ」
亭「いまに消えますぜ」
死「消えれば死ぬのよ」
亭「えっ、これあいけませんね。驚いたな。どうしてこんなに短くなっているんだ」
死「ここを見な。ここに半分より少しよけいでもって威勢よく燃えているのがあるな」
亭「へえ」
死「これがおまえのほんとうの寿命だ。これはな、さっきおまえがおれにペテンを食わせやあがって無理に助けた人の寿命だ。てめえは金に目がくれて、てめえの寿命を売っちまったんだ。アハハハ、お気の毒なものだな」
亭「ええ。それあいけませんよ。いくら金があったってしようがねえ。金は要りません……」
死「おれに返したっていけない。気の毒だが、やっちまったものは取り返しがつかねえ」
亭「それあ困ったな、なんとか助かるくふうはございますまいか」
死「まず助からねえな」
亭「そこをどうかなんとかして助けてもらいたいもので……」
死「おれも助けてやりたいけれども、どうも取り返しがつかない」
亭「けれどもなんとかして……」
死「さあ、うまく行くか行かないか、ここに半分ともしかけがある。こいつを持って行って、接いでみな。うまくつながれば助かるから。なかなかうまくゆかないぞ」
亭「へえへえ、接いでみます。死んじゃあたいへんですから。これが接げればいいんで」
死「そうよ」
亭「じゃあ接いでみましょう」
ブルブルブルブル震えながら、ろうそくを取りに行く。
死「震えるな」

亭「わたしは震えたくはねえんですが、ここへ来ると自然に震えるんで……」
死「それ消えるぞ」
亭「へえ」
死「消えると死ぬぞ。しっかりしろ」
片っ方の手にろうそくを持ちまして、いまにも消えそうになっているろうそくをつまんで、ブルブル震えながらそれを接ごうとしました。
死「それ消えるぞ」
亭「へえ」
死「消えると死ぬぞ」
ひょいと接ごうとするとたんにプッ。
亭「ああ消えちまった」

死神

柳家小三治

えぇ、ようこそお運びくださいまして、まことにありがとうございます。どうぞしばらくの間、おつき合いをいただきますが、えぇ、かなわぬときの神頼みなんてぇ言葉がありまして、「おれはどうも信心心（しんじんごころ）はねえから、神様なんかどうでもいいんだよ」なぁんて言ってる人でも、いざ何かがあるってぇと「あぁ、どうぞ神様お願いします」ってなことを言ったりなんかするもんで。

そうしてみるってぇと信心心のない人にも、やはり神様ってぇのは、腹の中に座ってるのかもしれませんが。


「ちょいとおまいさん。ぇえ、どうしたんだよ。こっち出しなよ」

「何を」

「何をじゃないよ、出しなってんだよ」

「何を出すんだよ」

「何をじゃないよ。お金出せ、お金」

「何だぃ、お金って」

「何だいじゃないだろ。どうすんだよ。のべつに借金取りが来るじゃないかさぁ、え。集まったんだろ。こっち出しなよ」

「あぁ、ああ、それか。それがねえ、どうしようもねえんだよ」

「何がどうしようもない」

「いや、だからね、とにかく今日は銭(ぜに)がなくちゃしょうがねえからってつってさ、方々足を棒にして歩いたんだけどね、もうどこ行っても銭がねえ、銭がねえって言われるんだよ。おめえの前(めえ)だけどね、いま世の中に銭がねえらしいな」

「何を言ってんだよぅ。ないわけないだろ。おまえさんの普段の働きが働きだから、どこ行ったって貸してくんないんだろ。どうすんだよぉ。冗談じゃないよ、こんな思いしてさぁ。もう、今日って今日は、もうほとほと愛想がつきたねぇ。おまえさんと一緒にいるってぇとねえ、え、もう生涯こんな思いをしなきゃ、毎日いらんないんだろ、え。出てきなよ」

「何」

「出てけってんだよ」

「出てけ。出てけってのはおめえ、そりゃおれのほうが言う台詞(せりふ)だよ。おめえに言われることはねえ」

「何言ってんだよ。わずかばかりの銭(ぜに)もできないでさぁ。出てけっ。豆腐の角へ頭ぶつけて死ねっ」

「何を言ってやんでぇ。豆腐の角に頭なんかぶつけて、死ねるかい」

「死ねるよ、おまえなら」

「あ、そういう言いぐさがあるか、『おまえなら死ねる』って、おまえ。そういうこと、おら、おめえ、亭主だよ。夫だ」

「何言ってんだよ、二言目には『夫だ、夫だ』って言ってやがってさぁ。おまえなんざ、下にどっこいつけろ」

「何」

「下にどっこいつけろってんだよ」

「下にどっこいつけんのか。『おっとどっこい』って、何なんだよ、それは。何だいそれ」

「何でもないんだよ。え。どっか行って死んでこい」

「おら、野良猫じゃねえんだぞ、こん畜生(ちきしょう)。ふんとぉぉ……もぅ……いいよ、わかったよ。出てきゃいいんだろ、出てきゃあ」

「そうだよ」

「『そうだよ』？　出てかい、畜生。覚えてろ。

はぁ。すごいね、あの女は。おれだって決して弱いほうじゃねえんだよ、友達とけんかして、で、負けたこたねえんだ。それを、あの女の前へ出ると、舌がもつれて何言ってるか、わかんなくなっちゃうんだよ。畜生、悔しいなぁ、どうもなぁ。どうしてこういうことになっちゃったんだろう。女じゃねえな、あいつは。亭主の命を削る鉋だよ、あれ。

『どっか行って死んでこい』って、そういう言いぐさはねえだろう、死んで……『おまえなら豆腐の角に頭ぶつけて死ねる』って、どういうことなんだよ。畜生。

……死んじゃおうかな、ほんとに。おれだってねえ、生きてりゃ、あいつと一緒にいて、のべつこんなこと言われてなきゃならねえんだ。死んじゃお。そのほうがさばさばしていいや。どうやって死のうかなあ、え。川へ身ぃ投げちゃおうか、川へ。川へ身投げんのもいいけど、川に身投げるったって、こっちは泳ぎ知らねえからなあ。えぇ、子供の時分に井戸の中へ落ちて、がばがば、がばがば水飲んで、苦しかった。ありゃよくねえ、ありゃなぁ。

え、あぁあ、あ。こんなところにずいぶん大きな木があんね、これ。うわ、大きいね、この木は。枝と枝が重なり合って、上のほう見えねえや、こら。うわぁ、これ、五人や六人じゃ抱えきれねえぜ、こらあ。大きな木、うわぁ、あんなとっから太い枝が出てやらぁ。うわ、太えな、あの枝。

あすこへ首くくって、ぶら下がっちゃおうかな。はっ、そうだよ、それがいいよ。ね。あすこへぶら下がってみな。かかあが駆けつけて『おまえさん、あたしゃそんなつもりじゃなかったのよ』なんて言うんだ、あれ。ざぁまみやがれ。

ようし、あすこへぶら下がっちゃおう。ぶら下がっちゃうったってなぁ、あんな高えとこへ、どうやってぶら下がんのかなぁ。おれ、いままでぶら下がったことねえからなぁ。どうやってぶら下がったらいいかなぁ」

「教えてやろう」

「へ。誰だい。誰かいるの。誰だぃっ」

「うん。ふんっ、おれだよ。おれだ」

「何だ、てめえは」

「死神だ」

「『死神』？　変なやつが出てきやがったな、こん畜生。あんまり見たことのねえような面だぞ、おぃ。頭はすっかりはげ上がって、え、何だよ、ここんとこだけこう、白い毛がぽやぽやっと出てるってのは。面白い顔してやんねえ。皺だらけだ。鼠色の着物なんぞ着て……あぁあ、帯のかわりに荒縄でもって腰結わいてやんの。やせた足だね、おぃ。竹の杖ついてやんの。何だっておまえが出てきやが……あっ、（ポン）そうか。わかったぞ。どうもおかしいと思ったよ。いま気がついてみたら、おれが死のうなんて思うわけねえもんな。あ、そうか。おめえがその木の陰から、おれに毒気か何か吹っかけやがったんだろ、知らねえように、え。気がつかねえようにおれに毒気吹っかけたから、急におれは死にたくなっちゃったんだよ。へっ、何だい。わかってみりゃ、どうってこたねぇや。

　よせやい、ぇえ。おい、よせよ、おぅおぅ、おぅおぅおぅ。おう、こっち来んなよ、おい。気味悪いな、向こう行け。向こう行けよ。よせってんだよぅ。しっ」

「ふん……まあ、そう邪険にするな。仲よくしよう」

「別におめえと仲よくしなきゃならねえようなわけ、ねえよ、おらぁ。え、よせよ、よせよ。そばへ来るなよ。気味悪ぃな。向こう行くぜ」

「待て待て、待て、へ。まあ、そうおめえ、愛想なしで。

　実はなぁ、おめえ、だいぶ困ってるんでなぁ、助けてやろぅと思って出てきたんだよ。おまえとおれとは、ずいぶん昔にな、深い縁があるんだ。わけ話したって、おめえはとてもわからねえから、まぁ、そりゃやめとくが、その縁でな、おまえを何とか助けてぇと思って来たんだ。だいぶ困ってるようだなぁ。おめえに仕事を世話してやろうか」

「いいよ、仕事なんか世話してくんなくたって。いいんだよぉ、死神におれは仕事なんて世話して……どうせ死神の下請けかなんか、させようってんだろう」

「死神に下請けなんかあるかい。まあ、それよりおれの話を聞きなよ。

人間にはなぁ、必ず寿命というものがあるんだ。寿命がつきたやつは、どんなことしたって生きられるもんじゃねえ。生きてぇ生きてぇったって、そりゃだめだ。あべこべにな、寿命のあるやつは、どんなことして死にてぇと思ったって、死ぬことはできねえ。それが寿命だ。首くくりゃあな、くくった枝が折れちまう。川へ身投げりゃ身が浮いちまうって、それが寿命ってもんだ。おまえはまだまだ寿命があるから安心をしろ。

それよりな、おめえどうだ、医者やってみねえか」

「え」

「医者やれよ、医者。医者はもうかるぞ」

「いや、もうかるぞったって、おれ、脈をとることも、何(なん)にも知らねえ」

「そんなもの知らなくったって、医者はできるよ。人の命を救やぁ、それで立派な医者だぁな。あ。

長患いをしている病人のそばには、必ず死神が一人っつ、ついてるんだよ。この死神が、まくらもとに座っていたら、こらだめだ。足もとのほうに座ってる、これは助かる。呪文唱えるんだよ」

「呪文ったって、呪文なんか知らねえ」

「それを教えてやろうってんだよ。耳の穴かっぽじってよく覚えろよ、ん。

あじゃらかぁもくれん、きゅうらいす、てけ、れっつの、ぱ。

これで、手をぽんぽんと二つたたくと、その死神はまっつぐ家へ帰らなくちゃならねえって、死神仲間の申し合わせができてるんだ。申し合わせを破ることはできねぇ、ぇえ。やってみたらどうだ、え」

「な、なな、何だってぇの、え。あじゃらかもくれん？　きゅうらいす？　てけれっつの、ぱぁって言うの。それで、手を（ポン、ポン）二つたた……。

あれ。死神さん。あれ、いなくなっちゃったよ。死神さぁん。あ。あ、そうか。呪文を唱えて、ぽんぽん、二つ手たたいたから、いらんなくなって、家帰っちゃったんだ。あ、こりゃ面白ぇや。へっ。これ、やれそうだね、これ。やってみようかなあ」

早速家帰って、さぁ表に医者の看板を出そうと思いましたが、医者の看板にするような板がない。何かないかなっと思って、台所へ行ってみるってぇと、だいぶ前に食べた小田原蒲鉾の背中の板が、隅のほうに転がってたんで、こいつ拾ってくるってぇと、ぼろっ布できゅきゅ、きゅきゅぅっと拭いといて、そこに金釘流で『いしゃ』と書いて、で表へぶら下げた。

こんなんでほんとうに誰か来んのかなっと思って、小半刻たつか、たたないかのうちに、

「ごめんくださいまし、ごめんくださいまし」

「はあい。えぇ、誰。だめだよ、うぅん。酒屋さんだろ、うぅん。悪いねえ。何とかしようと思ったんだけどね、うぅん、もう少し待ってもらいてぇんだ」

「いや、酒屋じゃあございません」

「誰。あ、米屋さん。あぁ、悪かったねえ。いや、何とかしてえって気持ちはあるんだけどさぁ、あの、もう少し待ってもらい……」

「いや、米屋じゃない」

「誰。薪屋さん。八百屋さん。お湯屋さん」

「何だ、お湯屋まで借りがあんのかね、この家は。

あのぅ、こちら、お医者様ではございませんでしょうか」

「え。家は医者じゃあり……あ、医者だ。なったばっかりで忘れちゃった。

へい、いらっしゃい」

「あ、お初にお目にかかります。いえ、あたくし、あのぅ、日本橋の越前屋次郎兵衛の店の若い者でございまして」

「へぇ、越前屋さんて、あのご大家の越前屋さん。へえぇ。どうしました」

「えぇ、実は、てまえどもの主人が長の患い、長病でございます。ええ、もう、どうすることもできませんので、もう江戸の名だたる三本の指、五本の指に入るようなお医者さんに診ていただきましたが、このお医者さんが、もうみな、首を横に振りまして、『これはいかん』と、ええ、さじを投げられましてな。ほとほと弱りまして、よく当たる易者があるというので、今日見ていただきましたところ、ここから辰巳の方角に歩いていって、初めて医者の看板にぶつかったところに頼めば、必ず治してくれるという卦が出まして、辰巳の方角に歩いてまいりましたところ、初めての看板というのが、ちょっと小ぶりではございましたが、こちら様の看板でございまして、えぇ、先生にぜひお願いしたいと思って、うかがったんでございますが」

「あ、そう。あ、そりゃ、ちょうどよかった。あぁ、じゃ暇だからねぇ、すぐ行きやすよ。ええ、行きやすよ」

「ありがとうございます。ええ、では何分よろしく、奥にお取り次ぎ願いまして」

「えぇ、もうだからねえ、ええ、奥でも何でもいいんですよ。もう、行きますよ。もう暇ですから、ええ、行きましょう（プッ）え、行きますよ」

「ありがとうございます。あの、先生によろしくお伝え願いたい……」

「いや、『先生に』って、あの、あちしがね、先生なんですよ」

「え。あなたが。……あらぁ」

ってがっかりします。そりゃそうでしょう、とても先生には見えませんよ。貫禄はないし、汚えしね、それでも、もうお願いしますって言ったもんですから、取り消しってわけにいかない。しょうがねえなと思いながら連れてきて、店の者にわけを話をすると、

「おい、大丈夫かい、あんなの連れてきちゃって。そぅお、んじゃねえ、あのぅ、触らしちゃだめだよ、触らしちゃ。眺めるだけだよ」

ってんで、嫌な先生があるもんで。触っちゃいけねえ、眺めるだけだってんだ。

　病人の寝ている部屋に、一歩足を踏み入れて、ひょいっと見ると、なるほどさっきの死神が言ったように、一人の死神が、足もとのほうへ。

「(ポン)しめたっ」

「はい。何でございますか」

「え」

「え、いま、何か先生、『しめた』っておっしゃった」

「あ、言った。あ、言いました。あ、そう、うん。いや、ほら、そこ入ってきたでしょ。だから『あと、しめた』ってそう言ったの。ね、旦那、大丈夫。助かりますよ」

「へ」

「助かります」

「いや、助かりますって、あの、先生まだ、ただ、ここへ入ってきて診……」

「えぇ、ええ、そう。もう入ってきて、向こう見りゃあねえ、わかんの」

「わか……」

「わかる、わかる」

「あ、あの、脈もとら……」

「脈もとらなくたって、わかるんですよ。もう、あの形はね、大丈夫なんです」

「どういう形……」

「いえ、どういう形ってねえ、そりゃあねえ、まあいろいろね、あの、まあおまえさんにはわからないだろうけどね、わかるんですよ、これね。ほらほら、これね、大丈夫よ、ええ。ぇぇ、すぐ治しますよ」

『すぐ』。ちょっとお待ちください。江戸でも、名だたるご名医と言われるご名医が、次々に、これはだめ……」

「いや、そりゃ誰が何つったか知りませんがねえ、ご名医って、誰に診てもらったの」

「ええ、初め見ていただきましたのは、稚内終点先生に見ていただきました」

「稚内終点先生。へぇえ。その先生は何ておっしゃったの」

「とにかくもう、この病人は先がないと、こうおっしゃいました」

「何、『終点で先がない』。へぇ。あとは誰」

「あとは甘井羊羹先生に見ていただいた」

「羊羹先生、どういうお見立てで……」

「とにかく手の施しようがないんで、あとは安静しかないという……」

「羊羹で『餡製』。そりゃまあ、医者なんてぇのはつまんねえこと言うもんだね。それは誰が何て言ったか知りませんがねぇ、あたしが大丈夫ってんだから大丈夫。いますぐ治しますが、がです。それだけのご名医が、いけないというものをすぐ治すんですから、お礼のほうはたっぷり……」

「いや、そりゃもう、治していただけりゃ、いかようにでも」

「ああ、そうですか、え。じゃね、早速とりかかりますがねえ、実はね、あたしはね、あの、医者もやってますがねえ、呪いもやってるんですよ。今日はねえ、呪いのほうで攻めたいなっという心持ちなんですが、どうです。呪い」

「いやいやもう、治していただければ、もう何でも」

「そうですか。じゃ、呪いでいきましょう、呪いでね。えぇ、それではねえ、直に見てられるってのも、なん……その屏風の陰にちょっと隠れててもらいやしょうか。え、すぐに、あの何ですよ、え。えぇ、別にご心配はいりませんよ。いまやりますからね。

あじゃらかもくれんきゅうらいすってけれっつのぱぁぁ（ポン、ポン）」

もとより死神の姿が、すっとかき消すようにいなくなるってぇと、それまで苦しがっていた病人が、

「ううぅ、うぅ、ふぅ、ふぅ。ごっほごっほごっほ、ごっほごっほ。おぉお、おおぉ。おぅい、誰かいないかぁ。おぅい、誰かぁ。あぁ、あ。長い間胸の中で立ち込めていた、雲のようなものが、一気に晴れた気がする。おぅい、誰かいないかぁ。おなかが

すいたあぁっ」

「先生、主人が『おなかがすいた』……」

「ええ、そりゃもう治った証拠です。おなかがすいた。何か好きなもん食べさせて」

「じゃ、初め、あの重湯とか、おかゆを柔らかく……」

「いやぁ、んなことしなくったって大丈夫。もう治ってますから、えぇ。好きなもん食べさして。天丼でも、鰻丼でも」

「鰻丼」

「えぇ、大丈夫、大丈夫」

「ありがとうございます。それじゃあの、何かお薬……」

「お薬。お薬ねえ。お薬の心配まで、ちょっと行き届かなかったなぁ。じゃ家に一緒に来てもらいましょうか」

　なんてんで、家へ連れて帰ったけれども、もちろん薬もなきゃあ、薬箱ももちろんありません。何かないかしら、何かごまかしたいなと思って、台所へ行ってみるってぇと、えぇ、そこに大根の葉っぱのしおれた、黄色くなったやつがあったんで、それ、ほこりはらって、まな板の上載せるってぇと、包丁でもって、とんとん、とんとん、とんとんとんとん、とんとんとんとん、とんとん、細かく刻んで紙ぃくるんで、

「はい、ご苦労さん。じゃこれ持ってらっしゃい」

「……これは先生、どのようにして病人に与えたら……」

「え、え。いや。そ、そんなね、ゝなあ、あの、与えたらなんて言うほどのもんじゃない。まあいい、やって」

「煎じる？」

「え」

「煎じる」

「そう……ね。ま、まあ、煎じる」

「どのように煎じる」

「いえ、どのようって、そういうね、しちめんどくさいこと言っちゃいけませんよ。煎じればいいんです。よくやってるでしょ、世間で。ね。二杯が三杯になったとか」

「へ」

「二杯が三杯になったとか、世間でよく言うでしょう」

「二杯が三杯……。三杯の湯が二杯になるまで煎じつめろというのは、聞いたことがございますが、二杯が三杯って、これ、煎じてるうちにだんだん増える……」

「そんなことは、どうでもいいんですよぉ。とにかく早くおあげなさいよ。ほんとに」

何だかわけわかりません。ええ、帰ってきて主人に与えるってぇと、もともと病気のほうは治ってる、あとは気だけのもんですから、すっかり治った。

さぁあ、江戸中の名医という名医が、これはいけないとさじを投げたというのを、あっという間にあの人が治した。「ほんとうの名医はあの人に違いない」という評判が、どっと立つってぇと、あとはもう、その評判を聞きつけたやつが、我も我もってんで、門前市をなすような騒ぎになってきました。これ、頼まれて行ってみるってぇと、死神なんてぇのはたいがい足もとに座ってるもんで、まくらもとに、たまさか座ってるのがあるってぇと、

「あぁ、これはいけません、ええ。あきらめていただきましょう。寿命ですから」

ってなことを言い置いて、さ、その家の敷居をまたいで表へ出るか出ないかのうちに、その病人がころっと首かしげて、そのまま息をひきとっちまう。「何だい、あの人は。ひょっとするってぇとあの人は、生神様じゃないかしら」。死神に教わったやつが、生神様になっちゃった。

どんどん、どんどん懐もあったかくなりますから、裏長屋なんかいられない。表通りに、門構えの立派な、門のところからお家のところまで、いくつか敷石を踏んづけ

て行くといったようなお屋敷でございます。こういうところへ引っ越しをいたしまして、まあ、もちろん看板も立派なものをぶら下げて、相変わらず、はやってる。

ところが困ったもんで、えぇ、どんどん、どんどん懐が太くなっていくってぇと、男というものは、ついつい、そういうことになってまいりますね。えぇ、つまりこの、あれです。ちょっと脇のほうに、えぇ、ちょいと乙な、何をねぇ、ええ、何いたしまして、で、ときどきこの、何……というようなことになってくるってぇと、おかみさんのほうが、また黙っちゃいません。「ちょっと。おまえさんっ」てなことを言う。「うるさいなぁっ、男の働きだぃっ。女はそっち、ひっこんでろっ。ちっ。ああ、うるさいなっ。第一、女の古いのは汚い。子供連れて、出てきなさい。金はいくらでも持たしてやる」

ってんで、好きなだけ金を持たして、で、追い出しちまう。

「ねえ、先生」

「何だ」

「私ねぇ、いっぺん上方見物したかったんですけど、上方のほうへ、連れていって、くださらないこと」

「んん、そうかぁ。うぅん、そうだなぁ。じゃ、おれもちょっと、ここんとこな、患者を診てばっかりで、くたびれたから、おまえさん連れて、上方見物と洒落込むか」

「うぅん、うれしいわん」

てなことを言って、ええ、二人が途中、ぜいたく三昧をいたしまして、京大坂から上方見物。

さあ、もう少しで、江戸へ入ろうというころになるってぇと、そりゃ、いまの旅もね、金がかかりますが、いまの旅行に比べるどころの話じゃない。そのころの旅ってぇと、そりゃもう、とてつもなく銭がかかる。それが、途中ぜいたく三昧ですから。もうじき江戸へ入るというころになるってぇと、持っていたものも、すっかり底をついちまう。何しろ江戸を出るときに、屋敷から何から、すっかり金にかえて表へ出ていったんですが、もう底をついちまって、どうしようもない。女のほうは、それがわかってくるってぇと、もともと惚れて一緒にくっついてたわけじゃない。金の切れ目が縁の切れ目ってんで、いつの間にか、どっかいなくなっちまう。奴さん一人でもって、ぼんやり江戸へ入ってきた。

「何、金なんざ驚くことないさ。おれがいっぺん看板をぶら下げりゃあ、金なんざいくらでも入ってくる」ってんで、ほどほどのところを借りて、ほどほどの看板をぶら下げたが、どういうわけか、患者が一人も来ない。

このお医者さんばっかりはねぇ、患者から来てくれないと、どうにもならない。こっちから聞いて歩くわけいかない。

「弱ったなぁ。誰も来ない。どうしよう」

それでもときどき、ぽつり、ぽつりっと頼まれるから行ってみるってぇと、これが意地の悪いことに、みぃんな死神はまくらもとへ座っている。これじゃ、どうにもならない。あぁあ、何とかならないかしら。藁をもつかみたい心持ちでいるってぇと、麹町三丁目に、これは近江屋善兵衛という、江戸でも、それこそ三本の指、五本の指に入ろうというような金持ち、長者でございます。ぜひ家の主人が長患いで困っているから助けてもらいたい、向こうは大金持ちだ、よぉし、好きなだけふんだくってやろうと意気揚々で乗り込んでくる。病人の寝ているその部屋に一歩足を踏み入れて、ひょいっと見……。

「あぁあ……はぁ……いけません」

「は」

「だめ」

「何でございますか」

「だめです」

『だめです』？　そんな……あの、先生だけがもう頼りと。それ、だめと言われ……そこのところを何とか」

「いや、何ともならない。おまえさんにはわからないだろうけどね、あたし、わかるんです。だめなんです、あの形は。いえ、わけは説明できないけどね、もうとてもだめです、これは」

「いえ、そう言われましても、ここで主人にあの世にいかれますと、何代も続いてまいりました暖簾が、ここで途絶えるというようなことになります。お願いでございます。何とか、そこのところを、先生のお知恵で」

「あのねぇ、こういうものはね、腕とか知恵じゃないんです、実のこと言いますと。人には寿命というものがあってね、寿命がなくなるってぇと、どうにもならないんですよ。あきらめてもらいましょう」

「いえ、あきらめられません。お願いでございます。こんなことを申し上げては失礼かと思いますが、もし命を救っていただけましたらば、先生に、お礼として一千両差し上げる支度がございます」

「一千両。一千両……へぇ。あるところにはあるもんだねぇ。正直言ってねえ、欲しくないことはありません。とても欲しい。だけど、これはしょうがないんだ。どうにも動かせない。寿命というものが……」

「いえ、そこのところを何とか、あの……。

はい。はい？　……は。……は。……はい、わかりました。いま、あの、おかみさんも心配なさいまして、ええ、まるっきり助けてくれとは申し上げません。三年でよろしゅう……へ、『二年』？　二年。

二年でよろしゅうございます。もし、命をもたしてくださいましたならば……『三千両』。三千両差し上げます」

「ちょっと待ってください。それ、だめなんですよ。だめなんですけどねぇ、ひょっとして、まかり間違えば三千両もらえたのかなと思うとね、考えただけでね、気が遠くなります。いや、それはだめなんです。ほんとに、ね。ま、あきらめましょう。お互いに、つきがなかったと」

「いえ、あきらめきれません。そこのところを何とか……はい？

……一年で結構でございます。一……え、『半年』？『一月』？『十日』？

お願いです、先生。十日でよろしゅうございます。十日もたしていただけましたら、そのうちに何とかいたします。この急場をしのがなくてはなりません。お願いでございます。先生に五千両差し上げます。……『三日でいい』？

三日もたしてくださいまし。五千両」

「あのねえ、だめなんですから。そんな話はどうぞなさらないように……」

「いえ、でもお話をしなければ、わかりません。そこのところを、何とか先生のお知恵……」

「あなたねえ、さっきから黙って聞いてりゃ、お知恵、お知恵って、人の命は知恵とかね、あの……。

あのねぇ、これ、どうなるかわかりませんよ。だめでもともとですから、やるだけやってみましょうか、ね。お宅にねぇ、気の利いた力のある若い者が、四人いませんか」

「いえ、えぇ、そういうことでございましたら、ええ、もう四人どころじゃなく、何十人……」

「いえ、そんなにいらない。四人ね、布団の隅にちょっと座らしといてくれませんか。いつになるかわかりませんがね、『ここ』っていうときになったらね、私が目配せをして、そうだ、膝をぽんと一つたたいて、合図しましょう。その合図をきっかけにね、その四人の若者に布団の四隅を持って、すばやく、ぐるぐるっと回してもらいたいんです。ぐるぐるっつったって、ひとまわり回しちゃったら何にもならないんです。い

いですか。頭を足、足を頭のほうへ、ぐるぐるっと回していただく

「そういうことでしたら、すぐにでも……」

ってんで支度をして。だんだん、だんだん夜が更けてくる。ろうそくの明かりが、ばちばちっ、ばちばちっと音を立てながら、こう揺れるたんびに病人が「うぅうん、うぅぅぁぁぁあああぁっ」っという、ひどいうなり声で、「ああ、何とかもってもらいたい、ここであの世へいかれたら、何にもならないんだがなあ」と祈るような心持ちで見ている。

あたりがだんだん明るくなって、からすかぁで夜があけて、昼を回ったなっというくらいになるってぇと、死神だって、そうそういつまでも、がんばっちゃあいられない。こっくりこっくり居眠りを始めやがった。「ここだなっ」と思うから目配せをして、ぽぉんっ。ぐるぐるっと回すとたんに、

「あじゃらかもくれんきゅうらいすっ、てけれっつのぱぁあっ（ポン、ポン）」

驚いたのが死神で、「あぁあああっ」ってぇと、そのままどっかいなくなっちゃった。

「先生、ありがとうございます。ええ、おかげさまで主人があのように」

「ああ、よかったですねぇ。え、お礼のほうはねえ、間違いなく。うん、そうですか。

えぇ、それではねえ、えぇ、いやいや、とてもねぇ、五千両、千両箱一つだって、とても一人じゃ担いで帰れやしません。ええ、ですからそのうち、いくらか内金をいただいて、うん、あとは家へ届けてもらいましょう」

ってな具合に、懐へこれをつっこんで、さぁ表へ出た。ちょいとした小料理屋かなんかへ、二階へ上がって、ちびちび、ちびちび、やってるうちに、だんだんあたりが小暗くなってきました。楊枝くわえて表へ出るってぇと、すっかり真っ暗になって、

「あぁあっはははは、はははは、ははは。しかし、こういうことになるたぁ、思わなかったなあ、え。はははは。いやぁ、うまくいったねえ、ええ。いやあ、愉快だな、こら。うぅん。あぁ、いい心持ちになった。久しぶりの酒は効きますねぇ。どうだい、え。今夜あたり、ちょいとねえ、ん。えぇ、柔らかいもんにくるまって、ね。あったかいもんか何か抱っこして、ね。へへへ、へ、飲みましょう。とにかくね、もう、うぅん、金なんざ驚くことないよ。あの手さえ使やぁね、こっちはもう、江戸中の金を一人で集めてやるんだからな」

「ぉおい」

「へ。誰です」

「おれだよ。おれだ」

「へ。あっ、死神さん。あのときの」

『あのときの』じゃねえよ。何てことすんだ、おまえは。しかもおれ、おれに向かってあんな目に遭わせ……」

「あれっ。じゃあ、あの夕べの、あなただったんすか。いや、わからなかったよ。いやいや、あのねぇ、死神ってぇのはねえ、みんなおまえさんみてえな形だ、ね。こっからこう白い毛ぱぁぁって、で、胸はだけてね、あばら出して、それで荒縄で腰結わいて、尻っぱしょりって、そぅそぅそぅ、やせ細った手と足だ。だからねえ、わからなかったんだよ。いや、おまえさんだって知ってたら、んなばかなこと、するんじゃなかった。いやぁ、そりゃあねぇ、え、すいませんでした。このとおり謝りやす。え、じゃ、機嫌直しにどうです。いえ、一杯そこらでやりましょう」

「何を言ってやん。おまえのおかげでおれは、えれぇ目に遭っちゃった。今度のボーナス、なしだよ。おまえにな、見せたいもんがあんだ。ちょっとこっち来い」

「へ」

「こっちへ来い。まあ、いいから来い。びくびくするな、ぇえ。まったく、えれぇ目に遭わせやがって、まあ。あぁぁ、恩を仇で返すたぁ、このこと。こっちへ来い」

「何ですか。何です」

「何ですかじゃねえ。こっちぃ来い、ぁあ。ほぅら。ここへ入れ」

「何ですか、ここへ入れ……あら、あれ。あら、何ですか。いま、こうやったら、地べたに何か急に、ぽっかり穴があい……ああっ。あの奥のほうに、下のほうに石段が続いてますね」

「ここを下りろ」

「え。下りろって、嫌だよぅ。そんなとこ下りて、嫌だよ、そんなぁ。いま、できたばっかりの穴蔵ん中入ってったら、そのまんま口がふぁあってしま……」

「そんなこたねぇよ。え。何だ、意気地のねぇやつだなぁ。じゃおれがこの、ぅん、杖で引いてやるから、その杖の先つかまれ、え。おまえに見せたいもんがあんだ。こっちへ」

「嫌だなぁ、見せたいものって何ですか。え。大勢死神が集まってるとこ行って、ねぇ、あっしをつるし上げに……」

「そんなことしねぇよ。さぁさ、下りろ、ほら。ぐずぐずするな。どんどん下りろっ。どんどん……」

「いえ、どんどんっつったってね、おまえさんと違って、こっちは暗いとこ目が利かねえんだ。ほら、あっ、とっとっ、危ないっ、無理やりひっぱっちゃ嫌ですよ、危ないってっ（ドン、ドン、ドン）。

ちょっとっ。死神さんっ。何ですか、ここは。部屋ってのか、穴蔵ってのか、何だ天井と言わず、床と言わず、壁と言わず、ろうそくの明かりだらけじゃありませんか」

「このろうそくの、一本一本が、人間の寿命だ」

「はぁあ、聞いたことありますよ。『人の命はろうそくの火のようだ』なんて、これだったんですね。ほんとにそうだった。うわぁ、いろんなろうそくがあるよ。みんな形の違った寿命。あぁ、そうですか。へぇえ、長いのもありゃ、短ぇのもあらぁねえ、えぇ。あっ、死神さぁんっ。ここにねえ、威勢のいい、音立てて燃えてんのありますね。ぼぅぼぅ、ぼぅぼぅ。うわぁ、威勢がいいなぁ」

「そこへ目がいくかい。それは、おまえのせがれの寿命だ。やっぱり血が呼ぶのかな。よく目についたな」

「いや、だってほら、ひときわ威勢がいいじゃありませんか。その隣りにねえ、中っくらいの長さになって、真っ黒なろうをだらだら垂らしながら、ときどき、ばちばち音立てて燃えてんのあります」

「追い出したかみさんだ」

「あ、ああ。ああ、これ。あれですか。うわぁ、何か、寿命までとげがあるなぁ。あれ、死神さん。その後ろへ背中合わせになって、もうこれっぱかりになって、あぁ、消えますね、これ。ぁあ、消える、これ。あ、消えますね、これ」

「それがおまえの寿命だよ」

「い、いや、おまえの寿命だよったって、これ消えるじゃないですか、あぁ、消えますよ、これ。あ、また小さくなっ……え、ねえ。これ、消え……」

「それが消えると、おまえは死ぬよ」

「何……何言ってんすよ。前会ったとき言ったでしょう、『おまえの寿命はまだまだあるから、心配するな』って、そう言ったでしょう」

「それはあのときの話だよ。おまえのほんとうの寿命は、このつきあたりの壁のへこみのところで、いまを盛りに燃えているあの寿命が、昨日までのおまえの寿命だった。おまえは五千両という金に目がくらんで、自分の寿命と病人の寿命をとりかえたんだ」

「知らない。そんなこと知りませんよぉ。そういうこと、知ってるんだったら、初めに話しといてくださいよ。そんなばかなことしませんでしたよ。んじゃわかりました、わかりました。金は返します。金は残らず返します。ねえ、ですから、あの、もういっぺんとりかえて……」

「だめだ。一度とりかえた寿命は、二度ととりかえてはならない。死神仲間の申し合わせになってる。おまえはいま、風邪をひいてるだろう」

「え。風邪。いや、ひいちゃいませんよ。ひいちゃいませんよ。ん、あ……そう言えばちょっと、水っ洟みたいな」

「ちょっとだろうと、うんとだろうと、風邪は万病のもとだ。おまえは風邪がもとで死ぬことに死神仲間の申し合わせで決まった」

「そんなこと、決めないでください。嫌だよぉ。ねぇ、お願いで……ああ、また小さくなった。ほんとに消えますよ、これ。ああ、嫌だ嫌だ。嫌だっ。ねぇ、まだ死にたくありません。ねえ、お願いします。何とかしてください。いやぁ、ああぁ、嫌だよぉ、ねえ。大丈夫だって言ったじゃないですか。ねえ、困ったときには助けるんだってそう言ったんだから、いま、助けてください、お願いします、このとおり、ね。し、死神さん。あぁ、死にたくない。ねえ、お願いします。しぃさん」

「意気地のねぇやつだな。おお、じゃここに、ろうそくの燃えさしがある。ほらほらほら、その消えそうなやつを、それに移してみろ、ほら。早くしないと消えるぞ、え。消えるとおまえは死ぬんだ」

「そそ、そ……そんなこと知ってんだったら、ここへ入ってきたとき、すぐ渡してくれれば、さっきより、ずいぶん小ちゃくなっちゃったぁ。あ、消えますよ、これ。ほら。ほら」

「おぅい、消えるぞ。おぅい。……震えるな」

「……黙っててください。何か言うから、かえって震えちゃう」

「早くしろよ。消えるぞ……。消えるぞ……。あ、だめだなぁ」

「うるさいんだ……。こんな小さくなっちゃ……あぁ、だめだぁ……あ、あ。あ。ふぅ、ふっ。へっへ。こっち消えたけど、ほら、へっ、大きいほうがついた、こりゃ。はははははぁっ、あは、は、ありがてぇなぁ。……はぁっくしゅっ」

一九九八年三月十八日　収録

死神の名づけ親

グリム兄弟／金田鬼一訳

第一話

びんぼうな男が、子どもを十二人もっていました、それで、その子どもたちにパンをたべさせるために、男は、いやおうなしに、昼となく夜となく働きつづけました。そこへ十三人めのが産声をあげたものですが、こまってばかりいてもどうにもならず、ままよ、いちばんはじめにぱったりでくわした者を名づけ親にたのんでやれとおもって、大通りへとびだしました。

男にでくわした初めてのもの、それは神さまでした。神さまには、男のくよくよ思ってることがちゃんとおわかりですから、

「かわいそうに！　気の毒な人だね。わしが、おまえの子どもに洗礼をさずけてあげよう、その子どものめんどうをみて、この世で幸福なものにしてあげよう」と、仰せになりました。

「どなたですか、あなたは」と、男が言いました。

「わしは、神さまだよ」

「それでは、あなたを名づけ親におねがいするのはおやめだ」と、男が言いました、

「あなたは、金もちにゃ物をおやりになって、びんぼう人は腹がへっても知らん顔していなさる」

男は、神さまが富と貧乏とを、大きな目でごらんになって、うまく分配なさるのがわからないものですから、こんな口をきいたのです。こんなわけで、男は神さまに背をむけて、すたすた歩いて行きました。そこへ悪魔がやってきて、

「なにをさがしてるんだ。おいらをおまえの子どもの名づけ親にすれば、子どもに金貨をしこたまやったうえに、世の中の快楽ってえ快楽を一つのこらずさせてやるがなあ」と言いました。

「どなたですえ、あなたは」と、男がきいてみました。

「おいら、悪魔だよ」

「それでは、あなたを名づけ親におねがいするのは、ごめんこうむる」と、男が言いました、「あなたは、人間をだましたり、そそのかしたりしますね」

それからまた、すたすた歩いて行くと、かさかさになった骨ばかりの死神が、つかつかとやってきて、

「わしを名づけ親にしなよ」と言いました。

「どなたです、あなたは」と、男がきいてみました。

「わしは、だれでもかれでも一様にする死神さ」

　これをきくと、男は、

「あなたならば、おあつらえむきだ。あなたは、金もちでも貧乏人でも、差別なしにさらっていきますね。あなたを、名づけ親におねがいしましょう」と言いました。死神は、

「わしはな、おまえの子どもを金もちにするし、有名な人にもしてあげる。わしを友だちにするものなら、だれにでもそうしてやるきまりなのさ」とこたえました。男は、

「このつぎの日曜日が洗礼です。刻限をみはからって、いらしってください」と言いました。

　死神は、約束どおりに、ふらりと姿を見せて、いかにもしかつめらしく名づけ親の役をつとめました。

　この男の子が大きくなってからのこと、あるとき名づけ親がはいってきて、わしについておいで、と言いました。名づけ親は、この男を郊外の森のなかへつれこむと、なんですか、そこにはえてる薬草を教えて、

「いよいよ、名づけ親としてのわしの進物をおまえにあげる時がきた。わしは、おまえを評判のお医者にしてあげる。おまえが病人のとこへ呼ばれるときには、そのたん

びにわしが姿を見せてあげる。で、わしがな、病人のあたまの方に立っていたら、この御病人はきっとなおしてあげますと、りっぱに言いきるがよい。そうしておいて、病人におまえの薬草をのませれば、その病人はなおる。だが、わしが病人の足のほうに立っていたら、病人は、わしのものだよ。おまえはな、これは手のつくしようがござらぬ、この御病人をすくう医者は世界に一人もござらぬ、と言うのだぞ。とにかく、この薬草を、わしの意志にそむいた用いかたをしないように、よく気をつけろよ。そんなことをしたら、おまえの身にとんでもないことが起るかもしれぬぞ」と言いました。

やがて、このわかい男は世界じゅうでいちばん名だかいお医者になりました。「あの人は、病人をじろりと見るだけで、これはなおるとか、これは死ぬとか、容態がちゃんとわかる」という評判がたって、そこいらじゅうから人がやってくる、病人のところへつれていく、そしてお金をたくさんだすので、男はたちまちお金もちになりました。

そのうちに、王さまが病気にかかったことがありました。このお医者が召しだされて、なおるみこみがあるかどうか、もうしあげてみろということになったのですが、寝台のそばへ行ってみると、死神は、病人の足のほうに立っていました。これでは、例の薬草も、とても役にはたちません。

「ちょいと、死神をだませないものかしら」と、お医者が考えてみました、「おこるにはおこるだろうが、じぶんは、なんといってもあれの名づけ子のことだから、死神も目をつぶってくれるだろ。おもいきって、やってみろ」

それで、お医者は病人をつかまえて、上下を逆に置きかえて、死神が病人のあたまのほうに立つことになるようにしました。そうしておいて、いつもの薬草を服ませると、王さまは元気をとりもどして、もとどおりのじょうぶなからだになりました。けれども、死神はお医者のところへやってきて、腹をたてた底意地のわるい顔をして、指でおどかしながら、

「おまえは、このわしを、だましたな。こんどだけは、寛大にみてやる、おまえはわしの名づけ子のことだからな。だが、こんなことを、もう一ぺんやったら、命はないぞ。わしは、おまえをひっつぁらっていく」と言いました。

ところが、その後まもなく、王さまのお姫さまが大病にかかりました。おひめさまは王さまの一人娘で、王さまは、昼も夜も泣きとおしたので、目がつぶれました、それで、お姫さまの命をすくってくれるものがあったら、おひめさまのおむこさんにして、王さまの後継にする、というお布告をだしたものです。

お医者が病人の寝どこへ行ったときには、死神は足のほうに見えました。お医者は名づけ親の警告をおもいだしたはずなのですが、お姫さまのすばらしく美しいのと、うまくいけばそのおひめさまのおむこさんになれるという望みとにあたまがしびれて、お医者は、ほかのことはなんにも考えませんでした。死神は、おこった目つきでにらみつけました、手を高くふりあげました、そして、かさかさのにぎりこぶしで打つまねをしましたが、そんなことは目にはいらず、病人を抱きおこすと、せんに足のあったほうへ頭を置きかえました。そうしておいて、例の薬草を服ませましたら、たちまちお姫さまの頬っぺたに赤みがさしてきて、命がまた新しく、ぴくりぴくりと動きだしました。

死神は、これでもう二度、じぶんの持ちものをだましとられたわけですから、お医者のところへ大股につかつかとやってきて、

「おまえは、もうお陀仏だ。いよいよ順番がまわってきたぞ」と言ったかと思うと、氷のような冷い手で、お医者を、てむかいすることもできないようにあらあらしく引っつかんで、地面の下の、どこかの洞穴の中へつれこみました。

そこで目にはいったのは、なん千とも数知れない燈火が、見わたすこともできないほど、幾列にもならんでともっていることでした。大きいのもあり、中ぐらいのもあ

り、小さいのもあり、目ばたきをするまに、そのあかりが、いくつか消えるかとおもうと、また別のがいくつも燃えあがるので、小さな焔は、入れかわり立ちかわり、あっちこっちへぴょんぴょん跳びはねているように見えます。

「どうだ！」と、死神が声をかけました、「これは、人間どもの生命の燈火だ。大きいのは子どもので、中ぐらいのは血気さかんな夫婦もの、小さいやつは、じいさん、ばあさんのだ。と言っても、子どもや若い者でも、ちいっぽけなあかりしきゃもってないのが、よくある」

「わたしの命のあかりを見せてくださいな」

じぶんのはまだまだ大分大きいだろうと思って、お医者がこう言うと、死神は、いまにも消えそうな、ちいっぽけな蠟燭の燃えのこりをゆびさして、

「見なさい、これだよ」と言いました。

「こりゃあ、ひどいや」と、お医者は、ぎょっとしました、「おじさん、新しいのを点けてくださいな。ね、ごしょうですからさ、そうすりゃあ、生きていられる、王さまになれる、美しいおひめさまのおむこさんになれるんですからね」

「わしの力には及ばないよ」と、死神がこたえました、「まず、一つ消えてからでないと、新しいのは燃えださないのでな」

「そんなら、古いのを新しいやつの上へのっけてください。古いやつがもえちまえば、新しいのが、すぐつづいて燃えだすでしょう」

と、お医者が泣きつきました。

死神は、その望みをききとどけるようなふりをして、手を伸ばして新しい大きなろうそくをひきよせました。けれども、もともと意趣(いしゅ)がえしをするつもりなのですから、さしかえるときに、わざとしくじって、小さなろうそくは、ころりとひっくりかえって消えました。そのとたんにお医者はぱったり倒(たお)れて、今度(こんど)は、じぶんが死神の手にはいってしまったのです。

第二話

ある貧しい男にむすこが生まれましたが、なにしろひどい貧乏なので、名づけ親になってやろうという人が、たれひとり見つかりません。一軒一軒あるいてみましたけれど、むだぼねおりでした。そこで、ことによると、だれか通りがかりの人が気のどくに思って承知してくれるかもしれないと、そんなことを当てにして、大通へ腰をおろしました。

まもなくやってきたのは、けだかい服装をした美しい女です。びんぼう人が用事をたのんでみると、そういう御用ならやってあげましょうと、はっきりうけあってくれました。

「お名まえをおっしゃっていただきたいのですが」と、男が言いました、「あたくしは、みじめなくらしをしてはおりますが、あなたがどなただかうかがわないうちは、名づけ親になっていただくわけにいかないので」

女は、金糸で星がいくつもぬいとりしてある面ぎぬを、ぱっとはらいのけて、「わたしは聖母マリアです」と言いました。

「それでは、あなたには用がない」と、男がこたえました、「あなたのむすこさんは、正しいことをしない、みんなを、えこひいきなく一様にあつかうことをしない。さもなければ、わたしにしても、こんなに貧乏で、ふしあわせなはずはないのさ」

聖母はとおりすぎました。それから間もなく来たのは、また女で、せい高の、おそろしい痩せっぽち、黒い面ぎぬにつつまれていました。びんぼう人が例の用事をたのむと、女は、名づけ親になると約束しました。

「だが、あなたはどなたですか」と、男が言いました、「あたくしは他人さまからさげすまれ、なさけないくらしはしておりますが、それだと言って、あなたが正しいことをなさるかたでなければ、名づけ親にはなっていただけませんので」

「あたしは、死神だよ」

へんなかたちをしたものは、こう返事をするなり、黒いヴェールを、ぱっとうしろへはねて、かさかさにひからびた骸骨を見せました。

「あなたなら、大歓迎ですよ」と、びんぼう人が言いました、「あなたは、だれにむかっても正しいかたで、だれかれの差別なく、おんなじに扱いなさるからね。是非いらしって、せがれの洗礼をやっていただきます」

死神は頼まれたとおりのことをして、それから男に言いました。

「おまえのむすこが大きくなったら、あたしが医者にしてやる。むすこが病人のところへ呼ばれるたんびに、あたしも出かけていく。あたしが病人のあたまのそばに立っていたら、病人は死ぬしるし、あたしが寝台のあしのほうに立っていたら、病人はまだ死なないというなによりの証拠だから、むすこはそのつもりで手あてをすればいい」

そのとおりでした。青年はお医者さまになりました。そして、名づけ親が枕もとに立っているのが見えると、もう手おくれです、御病人はもうたすかりませんと言って、たち去ります。名づけ親が足のほうに立っていると、思いつきのいいかげんな処方をして、それで病人は、けろけろとなおるのでした。お医者さんはそこいらじゅうの評判になって、名医ともてはやされ、お金も思う存分とりこみました。

ある日のこと、お医者さんは、お金を石ころのようにざくざくもってる人のところへ呼ばれました。行ってみると、死神が枕もとに立っていたので、あなたは助からないと、あからさまに病人に知らせました。お金もちはおとこのなかで呻きながらがえりをうって、どうぞ助けていただきたいと言って、おいおい泣きました。それから、じぶんの命をすくってくださるなら、もってる財産をみんなさしあげます、家もあげます、地所もあげますと言ってきかないので、お医者さんも、とうとう、では、とにかくやってみましょうと約束しました。ちょうど召使がそこいらに多勢いましたので、お医者さんはその人たちに言いつけて、できるだけ早く寝台をぐるりとまわして、死神が足のそばに立つような向きになおしました。死神は人さし指をぐいっとあげておどかしたまま消えてなくなりました。それから、お金もちはお医者さんに、ほしいだけ、お金やほかの財産をあげました。

その後はながい間なにごともありませんでしたが、ある時、お医者さんは、どこかのおじいさんのところへ呼ばれたことがあります。はいるとすぐに、死神が病人のあたますれすれのところに立っているのが目についたので、これはもう手おくれですと、きっぱりことわって、戸口から出ようとしました。そうすると、おじいさんの娘が戸の外にひれ伏して、両手を高くお医者さんのほうへさしだして、後生一生のおねがいでございますとたのみました。お医者さんは、娘のうつくしい青い目をじいっと見つめると、胸の中がふるえたのですが、さすがに死神の顔をもう一度つぶす気にはなりません。けれども、美しい娘のたのみはだんだんいじらしさを増して、お医者さんの心にしみわたり、老人は老人で、じぶんの命をたすけてくだされば、娘をさしあげますと言ってきかないので、お医者さんもやむをえず、もう一度、おもいきって無理なことをやりました。手ばやく、寝台をぐるりとまわしてもらったのです。死神は、また人さし指をあげて、

「三度めを気をつけろよ」と言いました。

お医者さんはうつくしい娘をおよめにもらって、なに不足なくしあわせな日をおくりむかえ、もうこれぎり死神をだしぬくことはよそうと、かたく心をきめました。

ところが、王さまからお使が来ました。行ってみると、病人は虫の息で、死神は、あたますれすれに立っており、いまわりでは、ごけらいたちが声をあげて泣き悲しんでいます。お医者さんが、王さまはどのみちおかくれになるのだと、きっぱり言いきると、ごけらいたちは、とにかくお手あてをしてみてくれとしきりに頼むのですが、こちらは、なんと言われても、ききいれません。そうすると、死にかかってる王さまが、むっくり起きあがって、わしが目をねむったら、時をうつさずこの医者の首をはねろと、番兵に命令しました。

ごけらいたちはお医者さんをおさえつけました。その目にうつったのは、剣を抜きはなって、いつなんどきでもお医者さんの首をちょんぎろうと身がまえている鎧をきた人の姿でした。お医者さんは胆をつぶしました。そして、これではどうしても死ぬことはさけられないと知って、どうせ死ぬときまっているなら、もう一度名づけ親をためしてみようと腹をきめ、寝台をぐるりとまわしてもらいました。

〔ここで話はおしまいになっています。この話をした女の人は、王さまの命はすくわれた、お医者さんはいろいろずるいことを考えて死神の手からのがれた、それから王さまの後(あと)つぎにすえられたというだけで、これからさきのくわしいことは知らないのです」

死神

織田作之助

あたしは到頭あの線に取り憑いてやることにした。

もっとも、あの線はあたしが出なくても、駈けだしの、不見転の死神にだって、結構大仕事が出来るようなボロ線で、あんまり簡単すぎて、こちらが興冷めしてしまうくらいだ。と、いって、今の日本には、国鉄であろうと、私鉄であろうと、あたしたちを手こずらせるような気の利いた線が一つでもあるというわけではない。見わたす限りボロ線で、おかげであたしたちはここの所まるで箱乗り専門の仕事師になってしまったようなものだ。伝染病がはやると、看護婦みたいにチョコチョコ病院へ派出して、仕事をしていたあたしの娘なども、箱乗りの方が手っ取り早くて、みいりもいいなんて言っているくらいだ。箱乗りなんてあばずれのする仕事だよと言ってやっても、病院とちがって宿直の医者をたらしこんだり、カンフルをかくしてやったりする手間が要らない、乗ってしまえば、眼をつむってたって、あっという間じゃないの、簡単なものね、うっかりしてると、こっちが眠ってる間に済んでしまって、眼がさめてびっくりするくらいだわ、あら、いやねえと、何だか知らないけれど、この頃の娘と来たら、楽なことばかし考えて、空想だけをたのしむとか、長い間掛って手に入れるとか、非常に新鮮な驚きで感ずるとか、気絶するような想いとか、そういったものを忘れてしまって、背丈ものびないうちに一人前になっているのは、頼もしいようでもあり、はしたないようでもある。あたしなんか、相当年増になるまで、烏の肉の味以外に男というものを知らなかったくらいだ。大方、下界の生きた人間共の真似をしているのだろう。人間共はこの数年間、あんまり簡単に自分たちの仲間が死んでしまうのを見せつけられて、何となくはかなくなって、一寸したナイーヴな経験にも驚かなくなっているのだろう。もっとも、あたしたちの社会でも、この数年間というものは、眼がまわるほど忙しくて、どうせこんな忙しい時は二度とあるものじゃない。今のうちに稼いで置けと、箱入娘までかり出すという始末で、いわば屍肉のインフレだったから、少しは頭もぼけてしまい、ものごとに念を入れることも忘れていたことはたしかだ。何かにつけて、度をすぎると、無常の風を引いてしまうものだ。

　とにかく一つ残らずボロ線だ。が、とくにあの線と来たら、レールと枕木は既に十年前に払下げる必要があったのに、その後三十年分ぐらい酷使されているし、車輛も同様、焼けていないモーターは一つもないし、ブレーキは不完全、しかも、そのブレーキはちょうど電車がK峠の急な坂を矢のように降りかけた途端に、まるでわざとのように利かなくなるような仕掛けになっていて、従業員は心ある従業員が親戚の反対でやめてしまったあとの、素質の悪い連中ばかりで、——とこういえば、大袈裟だと思うだろうが、実はあたしは大袈裟なことも好きだから、この間もあたしの長男にいいつけて、あのK峠で死者五十六名という大仕事をさせてやった。それが夕方のことだったが、あたしは、その日のうちに死骸を片づけるような、そんな手廻しのよい会社ではないと見越して、わざと翌日の昼すぎ、次男にいいつけて、K峠へ行って様子を見ておいで、ついでにK峠の烏の森にはウョウョ烏が群がっている筈だから、気味の悪そうなのを、五六羽晩のお菜につかまえておいで、と使いに出すと、次男は真青な腕に、嘴からプンと屍臭の漂う血を垂れた、みるからに肉のたまらなく酢っぱそうな、生きのよい烏をつかんで戻って来て、言うのには、現場へ行ってみると、棺桶が夕陽をあびてザラザラの木目を白っぽく見せているのが、女の子の乳房よりもきれいだったし、棺桶の底からポトポト赤い血が流れているのが色といい匂いといい、うっとりするくらい可憐だったから、ゾクゾクとたまらなくて、ちょうど坂を降って来た三輛連結に取り憑いてやって、その電車でかけつけて来た死人の家族や、医者や、警察官や、会社の連中ばかり、ざっと九十名という仕事をして来ましたと興奮していた。きれいだとか、うっとりしたとか、ゾクゾクとか、そんな理窟をつけてから仕事したというのは、まだまだ若すぎるねと、あたしは思ったが、それでも、この頃息子たちの手が、へんな赤さや贅肉がなくなり、静脈の色が一人前に青ざめて、水の引くように骨ばって行くのを見ていると、さすがに頼もしいような気がして、そろそろ青白い娘ッ子を探してやらねばならないと、思った。ベタベタと青い粉を塗り立てた、まだ温もりの冷めぬような、下卑た娘ッ子などと出来て、よしんばもう孕んでいても、そんなものはおろさせて、捨ててしまえばいい。この間、うちの娘が使った薬が残っているはずだ。

話は脱線したが、そう、脱線といえば、あの線のことに戻るが、二日もつづけて同じ場所で、大仕事があったものだから、下界では殺人電車と騒いでいた。そんな線で仕事するのは、だから、自慢にも何にもならない。あたしの出る幕でもない。

それだのに、あたしが取り憑こうという気になったのは、実は、ちかごろ腕がにぶったのか、東条という男に取憑いて、まんまと失敗したという苦い経験がある。放って置いても、どうせあたしたちの所へ招待状が来る男だのに、わざわざ押し掛けて行ったのが、そもそもの間違いで、ああまで往生際のわるい男とは思わなかった。おかげで、恥をかいてしまったが、よせばいいのに、代用品に松岡という男に取り憑いてやって、これは成功したものの、肺病やみに取り憑くなんて、あの女もやきが廻ったのかと嗤われて、恥の上塗りだった。だから、この恥を取り戻さねばと、いろいろ思案した末、考えたのがあの線だ。子供たちは今更あの線にね……と、すっかり愛想をつかしているようだが、しかし、あたしにはあたしの考えがあるのだ。ボロ線にはボロ線の仕事の仕方がある。あたしは息子たちのように、仕事の大きさをねらっているのではない。いってしまえば、仕事のキメの細かさだ。やさしい仕事ほどむつかしいのだ。やさしい線で、むつかしい仕事をするというのが、あたしのねらいだ。みんなも、あたしの仕事ッ振りを、とくと味っておくれ。

あたしはまずラッシュ・アワーの満員の電車を避けて、夜更けの閑散な車を選んだ。といっても、終電車ではない。殺された娘がみな美人であるように、たいていの電車事故は、満員か終電車にきまっていて、うんざりさせられる。「大して美人でもない娘」とか「終発の二つ手前の閑散な電車」では、新聞の記事になりにくいというわけだろうが、あたしは、わざと「終発の二つ手前の閑散な電車」を選んで、しかも、二輛連結のうち、前の一輛だけに取り憑いて、あとの一輛は顛覆しても、乗客は軽傷だけにとめてやることにした。その代り、前の一輛に乗ったやつは、みんなあたしの餌食だ。その前の一輛に、その夜だれとだれとがあらかじめ乗るかということを、あたしはちゃあんと知っているのだ。調べ上げたのだ。いや、あたしが選んだのだ。星の数ほどある人間の中から、あたしがピックアップしたのだ。あたしはもう招待状を出したのだ。招待状を受け取れば、もうあたしに見込まれたも同然、その時刻、その場所で行われる死の舞踏会へ出席しないわけにはいかないのだ。ただ、こいつらはあたしから招待状を貰ったことに、気がついていないだけだ。人間の浅はかさだ。こいつらはただの乗車券を買ったと思い込んでいるのだ。ばかな奴らだ。それが死の舞踏会の入場券だということを知らないのだ。窓口で切符を出してくれた女の手が、青い絵具を塗ったような色をしていたことに、気がつかないのだ。だから、往復切符を買おうとするようなやつもあったのだ。

みんなばかなやつだ。しかし、あたしたちから見れば、人間なんてみんなばかなやつだ。どうせ最後にはみな死んでしまうのだということを忘れて、毎日泣いたりわめいたり怒ったり喜んだりしているのだ。二百も三百も生きられる積りで、あくせくしているようだけど、みんな死ぬのだ。死ねば、鳥が肉をくらい、蛆がわくのだ。そりゃ判ってるさというかも知れないけど、しかし、判ってるのは他人が死ぬことで、自分が死ぬということは、なかなか納得できぬものだ。死ぬということは、どんなことか、誰も死ぬ瞬間しか判らない。だから、死ぬという事実を、本当に感覚的に語ることは出来ないのだ。あ、これだなと思った途端に、死んでいるのだ。生きかえって、それを語ることは無論不可能だ。あたしたちが許しやしない。だから、生きているものが、何やかや死についてもっともらしいことを言っているわけだが、肝心の所は何も判っていないのだ。みんな自分で考えるのは面倒くさいから、他人の頭を借りて言っているだけだが、その他人の頭にしたところで、何も判っていないのだから、世話はない。とにかく、みんなばかなやつだ。

そのばかな人間共の中から、とくにその連中を選んだのは、ばかはばかなりに見所があるというわけでも何でもない。あんなボロ線で仕事をしても、さすがにほかの死神とは仕事ッ振りが違うといわせるのは、結局のところ、その連中を選んだという選び方にあるわけだが、しかし、べつにその選び方に深い意味があるわけではない。人間はばかだから、ちょっとした気まぐれで、あたしが五六人のばかを一緒に集めても、そこに何か意味を見出したがったり、なるほど偶然というものには見えざる必然の糸が隠されているわいと考えたり、何も意味が辿れない場合は、何という無意味な集め方だと憤慨してみたりするだろうし、ことに小説家などという人間は、もし自分でこんな場合の人間を選ぶとすれば、こんな集め方をすれば文学的だろうか、文学的だが人生的ではないといわれやしないだろうか、面白いが嘘らしく見えないだろうか、などとあれこれ迷ったあげく、結局苦しまぎれに設定した意味の範囲内で、狭い人選をするにちがいない。しかし、あたしは人間でもなければ、小説家でもないから、べつに意味なんか考える必要がない。ただなんとなく異色ある人選でありたいと思うだけだ。風変りでさえあればいい。人間がそこから、どんな意味を見つけようと、それはあたしの知ったことではない。ただ、あたしは随分沢山の人間に取り憑いて来たおかげで、人間はみなばかだということが判ったただけだ。人間は死ねば鳥の肉と同じ匂いがするけれど、生きている間はみなばかだ。しかし、だれも自分がばかだということには気がつかない。ただあの男だけは知っている。あの男だけは、自分がばかで、そうして、自分以外の人間もみなばかだということを、知っているのだ。

あの男――あたしの招待状を受け取ってああして、前の車輛の運転室のすぐ横に、ぼんやり突っ立っているあの賀来（かく）という男は、戦争中、あんまり日本人の悪口を言いすぎたので、終戦になるまで、ずっと監獄にはいっていた男だ。敗戦になってみると、おれは戦争に反対していたのだという人間がむやみやたらに出て来たが、賀来という男は賛成もしなかったが、反対もしなかった。ただ、日本人はみなばかだということを、文章にも書き、喋（しゃべ）りもしていただけだ。軍人ははじめのうちは、そうだ、賀来のいう通り、日本人はみなばかだ、だから、みなもっと賢くなって、大いに戦争に協力しなければならぬと、むしろ賀来を激励役に利用していたのだが、そのうち、賀来はへんなことを言い出した。日本人はみなばかだということは、即ち軍人もみなばかだということである、そしてまた、こんなことを言うおれもばかである、みんなばかだ。そう言って、賀来は憲兵隊にひっぱられ、憲兵からばかッと撲(なぐ)られると、おれはむろんばかだが、お前もばかなんだぞ。その一言で監獄に入れられ、やがて終戦になって出て来た賀来はいつの間にか民主主義者という肩書を貰っている自分を発見して、驚いた。賀来某こそ日本の民主主義のために闘っていた英雄である、彼こそ日本国民の代表である云々(うんぬん)……。賀来の出獄後の第一声を聴こうとして、人間共は公会堂に集った。賀来はポソポソと不景気な声でおれは国民の代表になるのはいやだ。日本人はみなばかだ。少しは賢くなっていると思って出て来たが、相変らずばかだ。ばかだから、おれの演説を聴きに来たのだ。おれはこんなばかな国民の代表になるのは真平だ。こんなことをいうおれを、君たちはばかだと思うだろうが、左様、たしかにおれはばかだ。おれもばかだ。君たちもばかだ。こんなばかな世の中に生きているのは、なおばかだ。早くおさらばした方がましだ。君たちはおれに花束を贈る親切があれば、おれに棺桶を贈ってくれ。そう言って、壇上からコソコソと姿を消してしまった。人間共はたちまち賀来を相手にしなくなった。賀来はどうすれば最も苦痛すくなく、最も醜態を残さずに自殺することが出来るだろうか、という研究をはじめたのだ。

猫イラズ、青酸苛里(カリ)、砒素(ひそ)、催眠剤、瓦斯(ガス)……、賀来はあらゆる薬品を調べてみたが、全部苦痛を伴うことが判った。静脈に空気を注射することも思いついて、医者にきいてみると、医者のいうのには、いや、それは僕も試してみた、どこで、誰に試したかということが判れば、ただでは済まんから、伏せて置くが、しかし、その男は静脈に空気を注射されてもピンピン生きとったよ、一〇ccや二〇ccでは死ねないね、もっとも何ガロンという大量を注射すれば参るだろうが、素人では自分で操作出来ないし、それに参り方は早いといっても、すくなくとも三十秒ぐらいは苦しいね、ということだった。賀来は、浴室の湯槽の中へ腕をつけて、静脈を剃刀(かみそり)で切る方法も考えた。が、それも医者のいうには、簡単で参り方も早いし、苦痛もすくないし、いい方法だと思うが、やはり三十秒は苦しいね。結局、首つりが一番らくで、案外快感があるという結論に到達した。しかし、醜態が残る。鼻水を垂れたまま、だらんとぶら下っているのは困ると賀来は思った。それに生きかえるという心配もある。そこで、いろいろ考えたあげく、賀来の工夫した方法は、まず、鉄橋に縄をつけてぶら下る、息が切れて間もなく電車が鉄橋の上を走る。縄が切れる。ぶら下った体は川の中へ落ちる。これなら、ぶら下った体を見られる心配も、生きかえる心配もない。賀来はどこの鉄橋がいいかと、いろいろ物色したあげく、あの線をえらんだのだ。時刻はむろん夜。もっとも、終電車で行って、鉄橋のある手前の駅で降り、鉄橋まで歩きひそかにぶら下るとすれば、翌朝の初発が来て鉄橋にかけた縄を切るまで、ばかな恰好(かっこう)でぶら下ったまま一夜を明かさねばならない。だから、終電車の一つ前の電車を選んだ。ぶら下っているうちに、あとから終電車がやって来るというわけだ。その線は一時間置きだ。一時間のうち、三十分で準備し、ぶら下る。あと三十分ぶら下っているうちに、終電車が川へ落してくれる。

そう計算したので賀来は今、ああして、あの線のあの電車に乗っているのだ。しかし、あたしはちゃんと見抜いているのだ。賀来がもし二輛連結の後の車輛に乗ったとすれば、きっと死ぬことは出来なかったろうということを見抜いているのだ。なにが死ねるものか。前の車輛に乗ったから死ねるのだ。嘘だと思うなら、賀来の容子をじっと見ているがいい。あたしも見ていてやる。

賀来のやつは鉄橋のある駅まで来ても、きっと降りないに違いない。あいつは自分で死ねる男ではないのだ。

（未完）

死神と少女

武者小路実篤

登場人物
甲
乙
死神
少女

（川の岸、橋あり、甲乙話しながら登場）

甲。君は人間を信用しているのかい。僕はもう人間には何の未練もないよ。今迄だまされていたのだ。今度日本に帰って来て人生の無常を痛切に知ったね。それ許りではない、人間と言うものに愛想をつかしたよ。僕は今迄、自分の夢にだまされていたのだ。そして人生をあまく考えていた。もう君が何と言おうとも、人生を信じるわけにはゆかない。人生は僕に背いたのだ。君は人生を今迄通り信じるのもいいだろう。お母さんはいるのだし、愛する女に死なれもせず、背かれもしないのだから、今の世界は昔も今も少しも変わっていないのだから。しかしそれは偶然不幸に見舞われなかったと言うに過ぎない。しかし不幸に見舞われなかったのは君の為によかったと思っているよ。だから君は人生を悲観する必要はないだろう。しかし僕はちがうよ。四年南洋に居て、日本に帰るのをどんなに楽しみにしていたか、その楽しみには二つの理由があったのは、君もよく聞かされたから知っているだろう。ところが帰ると、母は死んでいる。女は他の人と結婚している。そしてちゃんと変わった母が来て居、僕が死んでくれればいいと内心祈っていたとしたら、僕が人生に望を失なうのはもっともだろう。人生が僕を裏切ったのだ。それなのに僕の方で、なお人生に向かって尻尾をふらなければならないと言う理由があるかね。断じてないと思う。僕の死ぬことを望んでいるのは、義理の母じゃなかったのだ。人生なんだよ。日本なのだよ。僕の死ぬことを望んでくれるのは、ああ、僕は死んだ村島のかわりに僕が死ねばよかったのだ。あんな善良な有望な男が死んで、僕のような死んでもいい人間が生きて帰らされる。実際人生はひどすぎるよ。僕を苦しめるために、生かしてくれたのだから。僕を生かして帰してくれたのは、僕を苦しめたかったたからにすぎないのだ。

乙。そんなことはない。君の考は、少し誇張がある。人生が、君を不幸にしたがっているなんて。

甲。だってそうじゃないか。さんざん苦労して帰ってくる。よく生き残ったと思って、喜んで帰ってくれば、待っているものは、呪咀許りなのだ。

乙。その気持はわかるが。

甲。わかるものか。わかるわけはない。わかれば、君のような、そんな顔はしていられないよ。君は嬉しいにちがいない。君は万事目出たしだよ。今後のことは知らないが。まあ、いつまでも幸福でいることを望むが。しかし人生は無常で、無意味で、馬鹿馬鹿しいものだと言うことは否定できまい。死なない人間があるか。百年生きたって、永遠の時にくらべたらなにになる。今日の新聞だとロシヤで百五十迄生きられる薬が発明されたと言う。僕はそれを信じているわけではないが、よし百五十まで生きられたとした処が、何億年にくらべたら、なにになるのだ。皆死んでしまったって、人間なんて惜しいものとも思わないが、ともかく人生は、生きるに価するものと思えるものは、お目出たい人に限るよ。僕は人生がどう言うものかと言うことを本当に知らされたよ。もうだまされはしない。僕は村島が死ぬ時、わきに居た。随分苦しがって死んだが。それでも彼は日本の未来を信じると言い切っていた。そして死ぬ時、お母さんと言って死んだ。僕の母は死ぬ時、僕の事許り心配してくれたそうだ。しかし死神はそんなことには少しも同情なんかしない。反って嘲笑っていたにちがいない。

乙。君のお母さんは、君の元気なことを望んでいらっしゃるにちがいないと思うよ。

甲。生きていた間はね。しかし死んでしまえば、僕が無事で帰って来たことも知らせようがない。あると君は思うか、母を喜ばすことが出来ると君は思うかね。

乙。それは君のお母さんには通じないかも知れない。しかし君が無事で帰って来たことはどんなに望んでいられたかわからないし、今後、君が立派な人間になることを実に望んでいられると思うね。

甲。死んだものは、何にも思いはしないよ。僕にはそのことは実にはっきりわかっている。なにしろ僕はすっかり人生に裏切られたのだ。しかし考えれば、それが人生なのだ。あまく考えていたのが、馬鹿だったのだ。人生は元来、甘くはないものだ。零のものだ。空なものだ。からっぽのものだったのだ。それを人間は知らないで、得意になって、いろいろわかりもしないことを、わかったような顔をして言っているのだ。そして、自分はうまくやっていながら、他人には勝手なことを要求しているのだ。人間はいかに下らないものかと言うことをこの頃しみじみ知らされた。ざまあ見ろと言いたくなるよ。

乙。本当に君はそう思っているのかい。

甲。そう思っているよ。正直に言えば、君の幸福だって、あてにはならないよ。いつ不幸がふりかかるかね。人間はいつ死ぬものかわからないし、災難はいつどこで起るかわからない。殊にこれから本当に食えなくなると、どんなことが起るかわからないよ。どんな形で革命が起らないとも限らない。幸福なものが、不幸のどん底に落ちると言うことは、いくらでもあり得る。君も君が人生に愛されていると言う甘い考は、やめた方がいいね。それより、愛する人が死んだり、君自身が死んだりする時の事を考えておく方がいいと思うよ。そんな目に逢っても君は平気でいられるなら、何とでも言うがいいが、不幸な目に逢うのが、いやだったら、僕に忠告することはやめて、さっさとどこかへ行く方がいいよ。

乙。君と話していると、何んだか怖くなったよ。それじゃこれで失敬するよ。

甲。まあ、無事でくらしたまえ、僕は呪いはしないよ。

乙。ありがとう。

甲。僕は呪わないが、用心するがいいね。

乙。用心するよ。

甲。さよなら。

乙。さよなら。

（乙。退場。甲、橋の上に立って川の流を見ている。死神、あたりまえの風してあらわれる。甲、死神とは気がつかないが、気がつきぞっとする。）

甲。君は誰だ。どこかで逢ったような気がするね。たしかにどこかで逢ったね。ああ、あの村島が死ぬ時に逢ったのは君かね。いやに黙っているね。

死神。君は本当に死にたいのかね。

甲。死にたいと思っていたが。

死神。今すぐ死ぬかい。

甲。（ぞっとして）今、今は死にたくないよ。

死神。どうして。さっき人生を呪って、死にたいようなことを言っていたじゃないか。そしてこの川を見ていたのは、飛び込みたいと思ったからだろう。

甲。飛び込んだらどうかと考えたのは事実だが、死ぬまで相当苦しまなければならないことを考えたら、飛び込むのがいやになったのだ。

死神。だが一思いだよ。

甲。君は僕を殺したいのか。

死神。別に殺したいとも思わないが、僕は君に呼ばれて出て来たのだよ。

甲。君は誰なのだ。

死神。し　に　が　み　さ。

甲。えッ、死神？　助けてくれ！

死神。大丈夫だよ。君が死ななければ、僕は殺しはしない。僕はただ君が死にたがっているようだから、一寸来たまでだよ。しかし僕は人を殺したいなぞとは思わないよ。人が死ぬ時、一寸見廻るだけさ。

甲。まあ、そう人の顔は見ないでほしいね。

死神。さっき、助けてくれ！　と言ったのはよかったね。よく死にたがる男が、死にそこなって、助けを求めることはよくあるよ。中には気の毒な程、後悔したり、苦しがったりして死ぬものもあるよ。もの好きに死にたがっておきながら、つまり死にたいと言うのは、ぜいたくだよ。我儘からくるね。

甲。そうと許りは限らないでしょう。生きているのがいやになるにも、いろいろ理由があるでしょう。

死神。それはある。この世に望がない人、この世に生きていると、いろいろの人に迷惑を与える人、そう言う理由で死ぬ人には、時々立派な人が居る。渡辺華山なぞ言う人の死に方は中々立派だった。

甲。あなたが立ちあったのですか。

死神。そうだ、私が立ちあったよ。不忠不孝渡辺登(のぼり)なぞとかいているのも見たよ。

　中々いい字だったよ。

甲。そうですか。

死神。あれは立派な人だったよ。少し人がよすぎたがね。しかし自殺する人間は、人
　がよすぎる人に多いね。

甲。私はどうです。

死神。君はまだ死ぬ理由が薄弱で、その上臆病ものだから、死ねないね。だがもう少
　し馬鹿なら、一思いに飛び込んでしまうから、後悔する時分には苦しがって、結局
　死ぬよ。君は、それ程無分別でもないようだ。

甲。一寸死ねそうもありませんね。

死神。死ぬのが怖くなったのだろう。

甲。ええ、あなたの顔を見ちゃあ、怖くなりますよ。

死神。それならもう死なないか。

甲。死にません。

死神。それなら、俺は忙しいから、出かけるよ。

甲。まあ、待って下さい。あなたは怖いが、しかしあなたに今逃げられるとなんだか未練があるのです。あなたは怖い。しかしなつかしい。

死神。お前は何と言う意気地なしだ。死ぬなら早く死ね。死なないなら、元気にここから去って、自分の家に帰るがいい。

甲。家には帰りたくない。生きているのがいやになった。しかし死ぬのもいやなのだ。

死神。そんなら勝手にしろ。俺はそう言う意気地のない奴は一番嫌いなのだ。

甲。嫌われてもいい。だが何となくあなたはなつかしい人だ。私は段々あなたが好きになって来た。実際、この世には未練はない。私はこの世に生きる興味はなくなった。人生はくだらないものだ。皆死骸になってしまうのだ。死骸はいやなものだが、人間は遅かれ早かれ、死骸になるのだ。

死神。そんなことはわかりきったことだ。

甲。死骸は見にくい。

死神。土左衛門(どざえもん)は殊にみにくい。

甲。首くくりも見にくい。

死神。血が出るのも面白くない。

甲。病気で死ぬのもいやなものだ。

死神。それならどうすればいいのだ。

甲。生まれなかったらよかったのだ。

死神。それなら生まれない前に戻るがいい。

甲。そんなことは出来ない。

死神。出来ないことをいつ迄もくよくよ考えていたらいいだろう。しかし俺は相手はしていられないよ。お前一人が、死のうが、生きようが、俺にとっては大したことではないから。

甲。お前はいい人間を沢山殺したね。

死神。私が殺したのじゃない。私は死にかけたものを見て廻るだけで、手を下すような面倒なことはしないよ。死ぬ奴は死ぬのだ。いい人間も悪い人間もないよ。誰だって死ぬ時は死ぬのだ。

甲。どんなに死にたがらないものもね。

死神。あたりまいよ。

甲。どんなに有望な人間もね。

死神。あたりまいよ。

甲。どんなに美しい人間もね。

死神。あたりまいよ。

甲。それがどんなに惜しいことか君にはわからないのだ。

死神。死ぬことはそう悪いことじゃないよ。悟って見ればね。

甲。俺が死んでも泣くものはないね。

死神。それはないとは言えまい。

甲。誰が泣く。

死神。お前のお父さんだって泣くだろう。もう一人泣く人が居る。

甲。いるとは思えないね。

死神。あすこに居るよ。

甲。どこに。

死神。あすこに。

甲。あの若い女の人か。

死神。そうだ。

甲。それは嘘だ。あの人は赤の他人だ。

死神。ところがそうじゃないのだ。あの人はお前が立つ時に泣いた。お前が居ない間、いつもお前が無事でいることを祈っていた。

甲。私の無事を祈ってくれたのは、あの人でなくって、あの人だったのか。

死神。そうにきまっているよ。

甲。僕はそうとは思わなかった。

死神。あの人はいつもかげでお前のことを思っていた。その真心は、私の心にまでひびいていた。お前の心にもひびいていたにちがいない。処女の祈、それはあの人の祈りだった。

甲。私の為にそんなに祈っていてくれたのですか。

死神。さっきから、あの人はお前のことを心配してそっとあとをついて来て、あすこで祈って居たのだ。誰にも気がつかれないように、真心をこめて。

甲。それは本当ですか。

死神。お前のお母さんの病気の時も、あの人は、お前の為に、お前のお母さんの病気がなおるように心から祈っていた。小さい心で、謙遜（けんそん）な心で、この俺でさえ感動しないではいられないような心で。

甲。そうおっしゃれば私にも、思い出すことがあります。あの人はよく私の顔を見て、私と目があうと、おどろいて目をそらしました。そして私を遠くから見ていました。

死神。君のお母さんの生命が一日奇蹟的にこの世に生きながらえることが出来、その時お前のお母さんが、お前のことを思って、心からお前の無事を祈ったことがある。お前の隣りの人が死んで、お前が奇蹟的に助かったのは、その時だ。二人の祈が、お前を救ったのだ。そしてお母さんが一日ながく生きられたのは、あの人の祈に俺が感動したからだ。

甲。そうですか、思いあたることがあります。私はあの時祈りました。母と、あの女のことを。

死神。お前は馬鹿だったので、あの人をあの人だと思っていたのだ。心の美しさと、顔の美しさとをとりかえたのだ。

甲。ああよくわかりました。今になって、私はいろいろのことがわかりました。あの人の祈が、処女の祈が私を救ってくれたのです。

(死神、姿をかくす。少女、ものを思いながら登場。若者のそばを何気なく通ろうとする。)

甲。ありがとう。

少女。何かおっしゃいましたか。

甲。ええ、本当にありがとう。

少女。何か思いちがいしていらっしゃるのではないのですか。私はお礼を言われることはいたしませんでした。どなたかとまちがえていらっしゃるのではないのですか。

甲。ええ。今迄、まちがえていました。ですが、今日からはまちがいません。あなたは僕を救ってくれたのです。あなたは僕が無事で帰るように祈っていてくれたのでしょう。

少女。どうして、それを御存知なの。

甲。それを今まで知らなかったのですが、今知ったのです。かくさないで下さい。

少女。なにもかくしはいたしませんが。

甲。あなたは僕が無事でいるように祈っていてくれたのでしょ。

少女。お許し下さい。私はわる気ではなかったのですから。

甲。許すどころですか、僕は感謝しているのですよ。母の病気の時も、あなたは僕にかわって、母の病気がなおるように祈って下さったのでしょう。

少女。すみません。私はただお気の毒で、おなおりになるようにお祈りしたのです。ただそれだけだったのです。

甲。それだけなのですか。僕のことを思っていてくれたのではないのですか。

少女。そんな、そんなこと。

甲。僕はそれを本当にありがたく思っているのです。僕は今まで、僕が死んでも誰も泣いてはくれないと思っていたのです。僕はもう生きているのが、いやになったのです。僕はこの世に何の望みもないような気がしたのです。その時ふとあなたを見たのです。あなたの目を見たのです。あなたの祈るような顔で僕を見守っていて下さるのを見たのです。その時、僕は生きよう、あなたの為に生きよう、そんな気がしたのです。あなたの祈りが、僕の心にひびいたのです。僕のようなものをそんなにまで思っていてくれたのかと、僕は始めて、いろいろのことがわかったのです。僕が今日まで生きて来れたのは、僕の母とあなたの御かげだったことが。その瞬間にのみこめたのです。

少女。それならあなたは生きて下さるのね。

甲。ええ。もう死ぬなぞとは考えません。

少女。本当にあなたの目が生々して来ましたわ。本当にようございましたわ。私、こんなに嬉しいことはありませんわ、私安心しましたわ。私はあなたが死にそうな気がして、本当にどうしていいかわからなかったのですわ。あなたが死んだら私も死ぬのう、そんな気さえしましたのですわ。自分でもわかりませんの。あなたのお母さまが、私にのりうつっていらっしゃるのかも知れませんわ。あなたのお母さま、本当に喜んでいらっしゃいますわ。私もこんな嬉しいことはありませんわ。私本当に不幸な子でしたわ。私こそ誰にも愛されない、又愛される資格もない女でしたわ。あなたに愛して頂けるなぞとは今でも思っておりませんわ。私それで結構なのですわ。ただ私の心さえわかって頂けば、私、本当に嬉しゅうございますわ。

甲。僕は本当に死ぬつもりでここに来たのですよ。この世は生きているねうちのない所のように思っていたのです。人間嫌いになってしまったのです。何事も信じられなくなったのです。いい友達に死なれ、貴い母に死なれたのです。僕一人おいてきぼりにされたような気がして、何かに腹を立てて、死んでやろう、そんな気さえしたのです。ところがあなたを見たのです。あなたの心にふれることが出来たのです。僕の心の底にある一番大事なものが、不意に目がさめたのです。その瞬間に世界は一変したのです。死神は僕から逃げてゆきました。生の神が僕に近づいて来ました。愛の神が僕に囁(ささや)きました。この世は美しい。僕は泣きたくなったのです。嬉し涙が流れて来たのです。其処(そこ)にあなたがやって来たのです。母があなたを導いてくれたのでしょう。私はついあなたに声をかけてしまったのです。

少女。私は自分の耳を疑いました。夢かと思いました。私はたしかにあなたが声をかけて下さったのを知りました。あなたを見ました。あなたの泣いていらっしゃるのを見ました。私も泣きたくなりました。夢ではなかった。

甲。いや夢、夢以上の夢です。夢が本当になったのです。あなたはそうは思いませんか。

少女。ええ。

（幕）

死神になった男

源氏鶏太

一

「あんたって、大バカだったんだわ」

妻の久美子がいった。しかし、宗吉は、黙っていた。黙っていたというよりも答えられなかったのだといった方が当っていたろうか。その眼は、さっきから空間の一点を睨みつけていた。しかし、これまた睨みつけていたというよりも、ただ呆然として、そういう格好をしていたといった方が当っているようであった。

「いってみれば自業自得のことなんだわ」

「…………」

「社長でありながら詰め腹を切らされて、一言もなしにおめおめと帰ってくるなんて、それでもあんた、男なの？」

「…………」

「口惜しくないの？」

久美子の口調には、夫への軽蔑よりも寧ろ憎悪がこもってくるようであった。もともと気性の激しいところのある女であったのだが、こうまでひどいいい方をしたことは、過去になかった。よくよく腹に据えかねているのであろう。

「あんたは、いいでしょうよ、会社のお金を費い込んで、勝手にゼイタクざんまいをし、あげく自分の女を会社の社員にして、そのお手当を月給で払わせていたというんですからね」

「…………」

「社長を辞めさせられたって、当然のことよ。誰を恨むこともないんだわ」

それまでまるで反応らしい反応を見せなかった宗吉は、そのときになって初めて、

「恨む……」

と、眼を光らせた。

それはさっきからそのことばかりを考えていたようであり、同時に久美子の言葉から急にそのことを思いついたようでもあった。

しかし、久美子は、そんなことにおかまいなしに、

「だけど、あたしは、どうなるのよ」

「…………」

「昨日までは社長夫人として、何処へ行ったってちやほやされていたわ。誰からだって、頭をペコペコされていたわ。そりゃア悪い気持でなかったわ。勿論(もちろん)、会社の車だ

って、自由に使えたしね」

「………」

「ところが明日からは、失業者の女房になってしまうんですよ。みんな、どんな眼であたしを見るかおわかりになる？　あたし、想うだけでも腹が立ってくるわ。勿論、会社の車だって、もう使わして貰えないわ」

「………」

「すべて、あんたのせいなんですよ。社長のくせに大ヘマをしたからなんですよ」

「………」

「あたし、親戚にだって顔向けがならないわ。もういっそ死んでしまいたいくらいだわ、恥かしくって」

「………」

「いったい、この始末をどうして下さるのよ」

久美子は、テーブルを叩かんばかりの勢いでいった。宗吉は、そのあまりの権幕の凄まじさに、

「まア、我慢してくれよ」

と、怯えたようにいった。

もともとそういう気の弱いところのある宗吉であった。だからこそ、今日のような結果になったのだともいえそうだ。

「いいえ、あたしは、我慢がなりませんよ」

「そんなことをいったって」

「あたしがかりに我慢するとして、お亡くなりになったお義父さまは、どうにも我慢がならぬとおっしゃるに違いありませんよ」

「………」

「もともとお義父さまがおつくりになった会社なんですよ。お義父さまが粒々辛苦の末に、一代にしておつくりになった会社なんですよ」

それは久美子のいう通りであった。

資本金一億円の石山電気株式会社は、宗吉の父の宗一郎が創設した会社であった。もっとも四年前に脳出血で急逝するときには、その株の半数しか持っていなかった。資金的に困ったことがあって、友人の岡田に半数を譲渡していた。しかし、岡田は、大株主というだけで、重役にもなっていなかった。そういうことに関心がないようであった。経営についても口を出したことがなかった。したがって、石山電気は、あくまで宗一郎のワンマン的な会社であったし、業績もよくて、ずうっと一割五分の配当を続けていた。含み資産も多いようにいわれていた。

宗一郎が急逝したとき、宗吉は、二十九歳であった。しかし、宗吉は、いわゆるサラリーマンになることを嫌って、私立大学の文学部の助手をしていた。宗一郎は、そのことが不満だったらしいのだが、しかし、つとに宗吉の性格を見抜いていて、自分の後継者とすることをあきらめていたようであった。また、自分が六十歳の若さで急逝するとは、想ってもいなかったろう。宗一郎の子供は、宗吉だけであったから、そのうちに然るべき後継者をつくるつもりでいたに違いない。

ついでに書いておくと、宗吉の母親は、十年前に亡くなっていた。宗吉は、父親に銀座のバーのマダムをしている二号のあったことを亡くなってから知らされた。しかし、すこしも不愉快に思わなかった。会ってみた感じも悪くなかった。感心だったのは、父親の死後、お金の要求をしなかったことであった。宗吉が社長になってからときどき顔を出したのだが、宗吉のことを、

「坊っちゃん」

と、いうので、

「この年で坊っちゃんは、おかしいよ。よして貰いたい」

と、いったのだが、

「あら、いいじゃアありませんか」

と、笑っていた。

そのため、ホステスたちまでが宗吉のことを、時々は、坊っちゃん、といったりした。

二号は、宗吉とおなじ年であった。色の白いふっくらとした感じの女であった。父親との関係は四年間だったらしいのだが、今でもそのときのことを仕合わせな思い出にしているようであった。

父親が急逝したとき、宗吉は、

「あなた、社長におなりなさい」

と、岡田からいわれた。

宗吉は、自分にその気が全くないじ、またその任でないことを強調して辞退した。今のままでいて、将来、大学教授になりたいのだといった。その方が気楽でいいともいった。

しかし、岡田は、

「石山電気は、お父さんのおつくりになった会社なんですよ。この際、あなたが社長になることは、即ち何よりもの親孝行というものです」

「しかし」

「社長の任でないとおっしゃりたいんでしょう？　大丈夫です。社長なんて、あんまりジタバタしない人間の方がいいのです。あなたのようなおっとりしたお方の方が万事うまくいくものです」

「…………」

「それに実際の仕事は、他の重役たちがやります。正直にいうと、今の重役連中は、一応出来るのですが、さてすぐ社長にとなるとまだ困るのです。すくなくとも後四、五年の歳月が必要なんです。ですからその四、五年間だけでも、あなたに社長になっていて貰いたいのです。その後は、また研究生活にお戻りになっても結構です」

「…………」

「いや、後四、五年もしたらお父さんの血を継いでいられるあなたのことですから立派な社長におなりになります。私が保証します」

「…………」

「勿論、私は、蔭ながらおたすけいたします。何んのご心配もいりません」

岡田のいい方にはどこか迫力があったし、親身なところがあって、宗吉は、抵抗出来なかった。また、せっかく社長の息子として生れて来たのだからいっぺんぐらい、

（社長……）

となっておくのも悪くないような気がしていた。

社長ともなれば、何百人の社員たちからペコペコされるに違いなかろう。大学の助手とは雲泥の差がある。それにどこへ行ったって、社長社長といって尊敬されるのだ。悪かろう筈がなかった。

「では、お引き受け頂けますね」

岡田は、もうそのことが決ったようないい方をした。

「はい」

宗吉は、そういってしまった。

「安心しました。お父さんもさぞかし喜んでいられることでしょう。そういうお顔が見えてくるようです」

いっておいて岡田は、

「ところで、どうしてご結婚なさらなかったのですか、今日まで」

「ただ、何んとなくですよ」

「すると、目下の処、特別に意中の人がおありでもないのですか」

「ありません」

「私に世話をさせて下さいませんか」

「…………」

「いい娘を知っているのです」

「…………」

「とにかく一度お会いになりませんか」

そうして会ったのが久美子であった。宗吉は、久美子を美人であるばかりでなく、気立てもいいと思った。いい妻になってくれそうな気がした。嬉しかったのは、久美子の方で、すぐ自分に好意を寄せてくれたらしいことであった。一か月もつき合っているうちに、宗吉の方よりも久美子の方が積極的になって来た。二か月目にもうホテルへ行ったのだが、しかし、それだって久美子がそういう素振りを見せたからであった。宗吉は、男として、逃げられるものでなかった。

二人は、岡田の仲人で結婚をした。久美子は、一度妊娠したのだが、子供はまだ早いといって、宗吉の反対を押し切ってさっさと手術をして来てしまった。そんな女房になった。そういうことからの不満もあって宗吉は、後に二号を持つようになったのだが、しかし、今になってはそれは取り返しのつかぬミスであったことになる。

二

今日、岡田が突然に社長室へ姿を現して、

「困ったことになりましたな。いや、困ったことをしてくれましたな」

と、いかにも沈痛な顔でいった。

「何か、あったのでしょうか」

宗吉は、心配そうに訊き返した。宗吉は、社長になって四年になるが、漸く社長らしくなっていた。すくなくとも自分ではそう信じていたし、この分では、今後もずっと社長を続けていかれると思っていた。宗吉は、この四年間でいろいろと社長としてのうまい汁を吸って来ているので、今更大学へ戻る気がなかった。かりに戻ったとしても助手である。今となっては阿呆らしいだけだろう。

岡田は、黙っていた。

宗吉は、社長になってから仕事のことで岡田と相談したことがなかった。というよりも、およその必要がなかった。会社の業績は順調だし、仕事は、昔からの重役たちがやってくれていた。宗吉の口出しをすることは全くなかった。盲判さえ捺していればよかった。宗吉は、自分が盲判を捺すために社長になったのだと思いかけていた。

あのとき岡田が、

(社長なんて、あんまりジタバタしない人間の方がいいのです。あなたのようなおっとりしたお方の方が万事うまくいくのです)

と、いったのはそういう意味であったのだろうと理解し始めていた。だから岡田は、大株主として、宗吉を社長にしたことが成功であったと思ってくれているものと信じていた。

「何か、あったのでしょうか」

宗吉は、重ねていった。

「横領です」

「横領? いったい誰が横領したのですか」

「何をおっしゃる。社長のあなた自身ですよ」

「バカなことを」

宗吉は、顔を真っ赤にしていった。いくら岡田でもそんな身におぼえのない暴言は許されぬと思った。

「しかし、事実なんです。ちゃんと証拠も上っております」

しかし、岡田の口調は、責めているのではなかった。宗吉のために困惑しているようであった。

「証拠？」

「あなたは社長に就任以来、毎月矢崎取締役経理部長から月給とは別に五十万円ずつ税金のかからぬ金を貰っていたでしょう？」

「しかし、あれは……」

「おや。どうだとおっしゃるのですか」

「自分から要求したのではありません。矢崎君が、亡くなった親父のときからそういうことになっていたのだからといって持って来てくれたので、そのまま貰っていたのです」

「としたらこの際、先代の社長の責任も追及しなければならないことになって来ます」

「いくら何んでも、横領だなんて、ひど過ぎませんか」

「しかし、会社の金を横領したことになるのです。何故ならあれは、会社の帳簿にのっていない金であったのです。裏取引によって得た裏金であったのです」

勿論、宗吉にとって、そういうことは初耳であった。矢崎経理部長もそんなことは

一言もいってくれなかった。要するにこの会社の社長の役得だぐらいに軽く思ってい
て下さればいいんです、といった。世間によくあることですよ、ともいった。だから
宗吉は、世間の社長なんてこんなにいいものなのか、と軽く思ってしまった。それ以
上深く考えなかった。
「しかし、社長ならそれくらいのことがあったっていいんでしょう？」
「とんでもない。社長がそういう浮薄な考え方では絶対に困ります。社風の乱れのも
とになります。現にそういう傾向が現れかけています」
「………」
「勿論、よくご承知でしょうが、会社の役員の報酬額は、定款によってきめられてい
ます。それ以上は一円も出せません。また、役員の賞与は、株主総会の議決を得なけ
ればなりません。しかし、あなたがお貰いになった毎月の五十万円は、それとは全く
違います。ですから明白な横領になるのです」
「………」
「株主から訴えれば刑事事件にもなるでしょうし、税務署にわかったら過去にさかの
ぼって、莫大な追徴金が取られることになります」
宗吉は、青くなっていた。思いもよらぬことであった。いきなり白刃を突きつけら

れたようにふるえ上っていた。

「いったい毎月の五十万円を、何んにお費いになったのですか」

「いろいろと……」

「女でしょう？　女に千万円からのマンションをお買いになったこともすでにわかっているのですよ」

　宗吉は、うなだれた。岡田が久美子と結婚するときの仲人であっただけによけい辛(つら)かった。そのことを責められているような気がした。赤坂(あかさか)のマンションに住まわせている麻子は、銀座のバーに働いていた女であった。宗吉が麻子を自分の二号にしたのは、久美子に不満があったからでもあるが、矢崎経理部長から、

「麻子は、社長にベタ惚(ぼ)れですよ」

　と、耳打ちをされて、ついその気になり、うかうかといっしょにホテルへ行ったりしているうちに情が移り、その上、気立ての優しいところがあって悪くないと思っているやさき、更に矢崎経理部長から、

「いっそ、二号になさったら？」

　と、すすめられて、

「社長なら二号の一人や二人を持っていなくては沽券(こけん)にかかわります。貫禄(かんろく)に影響し

て来ます。前社長だってそうでしたからね」

「しかし」

「あれほどの女は、めったにいませんよ。逃がすのは惜しいですよ。人に持って行かれてから地団太を踏んだって遅いですよ」

「しかし」

「まあ、私にまかせておいて下さい。社長のためです。悪いようにはしません」

矢崎経理部長は、勝手に飲み込んだようにいって、赤坂にマンションをさがして来たのは二年ぐらい前であった。そのために何や彼やで結局千三百万円ぐらいを費った。しかし、そのためには毎月貰っていた五十万円は、大いにたすかった。ただし、宗吉は、その毎月の五十万円のことは久美子に打ち明けていなかった。これまた矢崎経理部長の差金で、

「奥さんには内緒になさっておいた方が。社長ともなると、いろいろと奥さんにいえぬお金がいるものです。そのための五十万円でもあるんですから」

と、いうことであったのである。

宗吉は、一週間に二回ぐらいの割で、赤坂のマンションへ行っていた。行けば麻子は、マッサージもしてくれるような献身振りだったし、その他のサービスだって悪く

なかった。宗吉は、久美子の眼を恐れつつ、

「あの女を二号にしてよかったよ」

と、矢崎経理部長にいった。

今や、矢崎経理部長が自分の内輪の人間のように思われていた。

「でしょう?」

「君のお蔭だよ」

「とんでもない。すべて社長のご人徳ですよ。ところで、毎月のお手当は、いくらおやりなんですか」

「十万円だ」

「えっ、たったの?」

「すくないかね」

「やっぱり、社長ほどのお方だったらすくなくとも十五万円はおやりにならないと。わかりました。あの女を会社の社員ということにして、別に五万円の月給を払うことにしましょう」

「そんなことが出来るのかい?」

「何、実にかんたんですよ」

「しかし、いくら何んでも」

「まかせておいて下さい。要するにこの会社の金は、社長の金のようなもんですから」

宗吉は、そのときもついうかうかと矢崎経理部長の言葉に乗せられてしまったのであった。宗吉があまりにも世間知らずであったということの他に、多少の欲がからんでいたことも否定出来なかったろう。一方、宗吉は、その頃から遊びの味をおぼえて、その方の金の必要に迫られていたこともあったろう。近ごろでは毎月の五十万円が残らぬようにすらなっていた。

「もっと悪いことがわかっているんですよ」

岡田が更に口調を鋭くしていって、

「二号を会社の社員として、そのお手当の一部を月給で払っていられる」

「…………」

「実に言語道断。あなたは、それだけでも社長の資格に欠けていたことになります。全く私の人を見る眼がなかったことになります。恥じ入るばかりです」

宗吉は、ますます青くなってうなだれていた。このような正論で責め立てられては一言もなかった。今更のように自分の欲にからんだ軽率さが口惜しかった。これでは自分の人生に自分で泥を塗ったようなものである。そして、この泥は、生涯消えることがないだろう。いや、そんなことよりも亡くなった父親が、地下で、

(この大バカ者めがっ)

と、呶鳴りつけているに違いないのだ。

「私は、今日限りで、社長を辞めさせて貰います」

宗吉は、仕方なしにいった。しかし、まだ、岡田の慰留をいくらかは期待していたのだが、

「残念ながら当然でしょうな」

と、岡田は、あっさりといってしまった。

宗吉は、絶望的になりながら、

「ただお訊きしたいのですが、どうして今のことがわかったのでしょうか」

「投書が来たのです」

「投書?」

「私のところへだけでなくて、他の四人の株主へもです」

岡田は、その後、自分の持株を友人に分譲していて、今では宗吉を含めて六人の株主となっていた。しかし、宗吉がその半数を持っていて絶対の大株主であることには

変りがなかった。

「あなたは、社内の誰かに特別に恨まれていませんか」

「さあ」

「株主が私だけだったらその投書を握りつぶすことだって出来たのですが、他の株主たちがすっかり憤ってしまったので、残念ながらどうにもなりません」

「申し訳ありません」

「勿論、矢崎経理部長も辞めさせます。あれがあなたに悪事をすすめた張本人なんですから」

「…………」

「さっき、悪気がなかったのだと私に泣いてあやまっていましたが、絶対に許すことは出来ません。他の社員へのみせしめにも必要なことです」

「…………」

「ところで横領の金は、弁償して貰わなければなりません」

「えっ？」

「これまた当然でしょう？　でないと、あなたは、裁判にかけられます」

「…………」

「他の株主が承知しません」

「…………」

「月に五十万円の四年分として、二千四百万円と女の月給と賞与分百万円、合計二千五百万円です」

「二千五百万円！」

「ご不満ですか。本来ならそれに利息をつけるべきところなのです。いや、先代社長の分も」

「…………」

「大至急払って頂きたいのです」

「大至急とおっしゃっても」

「何か、お売りになったら？」

「…………」

「そうだ、この際、私があなたのこの会社の持株を全部お買いいたしましょう」

「…………」

「特別に一株六十円として、全部で六千万円。しかし、まだあなたの手許(ても)に三千五百万円から大金が残ることになる」

「………」

「勿論、ご異存がありませんな」

岡田は、畳みかけるような口調でいった。宗吉は、六十円では安過ぎるといいたかったのだが、その迫力に怯えていえなかった。何んといっても非は、自分にあったのだ。その負目が宗吉の気を弱くしていた。それにうかうかしていると裁判にかけられるのだ。その恐さが先に立っていた。要するに宗吉は、気が転倒していたのだ。

「いいですな」

「はい」

宗吉は、いってしまった。

「では、この書類に判を捺して下さい」

岡田が出した書類は、辞任届と株式の売買契約書であった。そして、宗吉がその二つの書類に判を捺した瞬間から石山電気とは無縁の男となってしまった。

「可哀そうに」

岡田がいった。宗吉は、顔を上げた。自分のことかと思ったのである。が、岡田は、

「あなたもだが、せっかくあなたと結婚した久美子のことですよ」

と、いっておいて、

「今日のことは、あなたの口からはいい辛いでしょう。わかります。だから私から電話で知らしておいてやりましょう。あんまりあなたを責めないようにとね」

と、つけ加えた。

しかし、打ちひしがれて痴呆(ちほう)のようになって家に帰って来た宗吉を久美子は頭から罵倒して、あげく、

「この際、別れましょう」

と、いい出したのであった。

三

久美子が千五百万円の手切金を取ってこの家から出て行ったのは、それから一週間後であった。

宗吉は、千五百万円なんて、何んぼ何んでも高過ぎると言った。しかし、久美子は、

「あなたは、赤坂の女に千万円ものマンションを買っておやりになったそうじゃァありませんか。それなら女房のあたしに千五百万円を下さったっていい筈です。あたしは、それでもまだすくな過ぎるくらいに思っているんです。また、千五百万円をお出

しになっても、あなたには二千万円とこの家が残ります。だからあたしは、どうあっても千五百万円を貰いますからね。あたしは、その権利があります。そして、あなたにはそれを払う義務があります」

と、眼尻(めじり)をつり上げてまくし立てたのである。

宗吉は、あらためてこんな女房であったのかと思ったくらいであった。もともと結婚してみて、案に相違していたと思っていた。だからこそ、麻子を二号にしたのだといったのでは逃げ口上になるだろうが、しかし、久美子がもっと優しい女であって、あのとき子供を産んでくれていたら今とは余程事情が違っていたということだって考えられそうだ。しかし、久美子は、朝から晩まで、

「千五百万円ですからね。絶対に千五百万円ですからね」

と、わめき立てた。

それでも宗吉が渋っていると、

「あたしの後に赤坂の女をお入れになった方がいいでしょう？　あなただって、その方が嬉しいのでしょう？」

と、皮肉をいって、

「あたし、場合によっては、岡田さんに相談に行くつもりでいるんですからね」

とまで憎らしげにいった。

宗吉は、この際、岡田を恨んだりするのは筋違いだと知っていた。株主として、当然の処置をしたのだと知っていた。しかし、今はその顔を見るのも厭になっていた。すくなくとも石山電気の株を六十円でといったのはひど過ぎると思っていた。しかし、契約書に判を捺してしまったのだからすべて後の祭であった。要するに宗吉がバカであったのである。今日の身の破滅は、久美子もいっていたように自業自得のことであった。そうでも思っていないことには、とうてい堪えられるものでなかったろう。

宗吉が会社を辞めてから社員はおろか、重役だって訪ねてこなかった。一人ぐらい慰安のためにひそかに訪ねて来てくれてもよさそうなものであるが、しかし、横領の噂は、すでにひろまっているに違いないだろうから、そういう期待をする宗吉の方が甘過ぎるのだということになりそうだ。正直なところ今の宗吉は、誰にも会いたくなかった。会いたいのは、麻子だけであった。麻子ならきっと自分に同情し、慰めてくれるに違いないのだ。あれはそういう女なのだ。しかし、宗吉が麻子に会いに行こうにも、久美子が出してくれないのであった。電話もかけさせなかった。

「あたしに千五百万円を下さらない限り、あなたを赤坂の女のところへやりませんからね。出してやるもんですか」

久美子は、日毎に手のつけようのない女房になっていくようであった。古くからいるお手伝の婆さんは、そんな久美子をただあきれたように見ていた。どうして殴ってやらないのかと思っているようであった。

(矢崎は、どうしているだろうか)

宗吉は、思った。自分のために馘になった男である。辞めるときに会って、そのことで何んとかいってやるべきであったかも知れない。しかし、岡田は、

「あんな恥知らずな男にもうお会いになる必要はないでしょう？ いってみれば今日のあなたの身の破滅の原因をつくった男なんですからね」

と、会うことを許さなかった。

そのことが宗吉にとって、多少心残りでないこともなかったが、しかし、岡田のいっていた通り、すべては矢崎経理部長のよけいなお節介が原因であったのだ。勿論、それに乗った宗吉は、弁解の余地がないくらいに悪い。まして、矢崎経理部長は、そのために馘になったのだ。そのことで女房からさんざん文句をいわれていることも考えられるし、だから彼は彼で、宗吉をひどく恨んでいるかも知れないのだ。今頃、会社では、宗吉と矢崎への批難が渦を巻いていそうな気がする。

(ザマを見ろ)

そういわれていそうな気がする。

結局、宗吉は、久美子に千五百万円を払った。もう一日も早く、久美子にこの家から出て行って貰いたかった。朝から晩までがなり立てられることに我慢がならなくなった。久美子は、現金で千五百万円を貰うと、とたんに上機嫌になって、

「あら、すみません。恩に着ますわ。どうかお仕合わせにね」

と、ニコニコ顔でいうと、さっさと車を呼んで、自分の荷物を積んで出て行ってしまった。

お手伝が、

「旦那(だんな)さま、塩でも撒きましょうか」

と、いったのには実感がこもっていた。

「まさか……」

宗吉は、弱々しく苦笑を洩(も)らして、

「しかし、君は、これからだってこの家にいてくれるだろう？　でないと僕は、一人になって困るんだ」

「私は、いさして貰います。お世話をさせて頂きます。でも……」

「何んだね」

「奥さまがいっていなさった赤坂の女とやらは、この家に入っていらっしゃるのでしょうか」

「困るかね」

「いえ、どういうお方であろうかと気になるのです」

「その点なら安心していてくれ。すくなくとも久美子よりもマシだと思っている。しかし、かりにこの家に入ってくるにしても、ずっと先のことになるだろう」

「旦那さまは、どこに、お勤めになるのでしょうか？」

「勤めようたって、誰がこんな僕なんかを雇ってくれるものか。そういう点で、僕は、全くダメな男だとこんど気がついた。当分は、家にいて、昔の古典文学の勉強を始めるつもりだ。それこそ、何も彼も忘れて。でないと、身が持たぬ」

宗吉の本音であったろう。考えてみると、いくら自業自得のこととはいえ、腹の立つことばかりであった。口惜しいことばかりであった。しかし、いつまでもそれにこだわっていたのでは、却って宗吉が心身共に参ってしまうだろう。要するにいくら腹を立てても、口惜しがってみても、今となっては詮ないことばかりである。せめてもの仕合わせは、二千万円の現金が手許に残されたことと、麻子がいてくれるということであった。

宗吉は、お手伝に、

「今夜、ひょっとしたら帰らないかも知れないよ」

と、断って、赤坂へ出かけた。

過去、いくら赤坂のマンションへ行っても、久美子にバレることを恐れて、泊ったことがなかった。しかし、麻子は、かねてから、

「せめて、朝までごいっしょにいたいわ」

と、そのことが夢であるようにいっていたのである。

だから今夜は、泊ってやってもいいつもりであった。その喜ぶ顔が見えてくるようであった。

しかし、マンションの管理人は、エレベーターの前に立った宗吉を見つけると、

「おや、まだご存じでなかったんですか」

と、さもおどろいたようにいった。

「何(な)んのことだね」

「白坂麻子さんは、このマンションをお売りになって、どっかへお引越しになったんですよ」

「そんな……」

「何んでもひどくお急ぎのようでした」

宗吉は、信じられなかった。管理人が嘘をついているのでないかと思ったくらいであった。しかし、管理人がそんなことで嘘をついたりする筈がないのだ。宗吉は、眼の前が急に真っ暗になっていく思いに堪えながら、

「いつのことだね」

「たしか、三日前でした」

「で、引越し先は？」

「それがおっしゃらないのです。決ったらお知らせするとだけで」

「…………」

「当然、ご存じのことと思っていたのですよ」

「そうか、どうも有りがとう」

宗吉は、よろめくようにマンションの外に出た。

（畜生ッ）

そういう激しい言葉が宗吉の口から洩れた。行先をいわず、宗吉に黙って急いで引越して行ったことで麻子の気持は、すでに明らかになったようなものである。宗吉は、久美子に裏切られ、今また麻子に裏切られたことになる。

（しかし、バカな女だ）

恐らく麻子は、宗吉が社長を辞めさせられたことを誰かから聞いて、ここらが見切りどきと思ったのであろう。それなら久美子とおんなじに手切金ぐらい請求すべきでなかったのか。あるいは宗吉のことだから腹を立てながらいくらか出したかも知れない。しかし、麻子にしてみれば、マンションを売ることによって生半可の手切金にまさる金額が入手出来る。マンション代の一部を宗吉に取り上げられることを恐れてのことであったということが十分に考えられる。

（あの女だって、結局、俺にとって、その程度の女であったのだ！）

宗吉は、そう思うの他はなかった。自分がますますみじめに思えてくるようであった。しかし、今はそのみじめさにも一人で堪えていかなければならないのであった。宗吉の眼頭は、不覚にもにじんでくるようであった。

宗吉が父親の宗一郎の二号だった栄子のやっているバーへ姿を現したのは、十時を過ぎていた。

「お珍しいこと、坊っちゃん」

栄子が笑顔でいった。その笑顔が宗吉に嬉しかった。父親は、栄子を二号にしていて仕合わせであったに違いなかろうと思った。それにくらべて自分は、と思いたくなっていた。今夜は、いくら飲んでも酔えなかった。躯の一部にどうしても酔い切れぬ白々しいところが残っているようであった。

「よしてくれよ、坊っちゃんは」

「ごめんなさい。では、社長さん」

「ところが俺は、もう社長ではないのだ」

「えっ？」

「社長を辞めさせられたのだ」

「まさか」

「いや、本当なんだ」

栄子は、じいっと宗吉の顔を見た。

「会社の金を費い込んでいたというので馘になったのだ」

「信じられません」

「信じることだ。俺って、そういう阿呆な男であったのだ」

「阿呆……」

「馘になったばかりでなしに、石山電気の株を全部売らされてしまったのだ。あげく女房には逃げられたし、二号にも逃げられた。今の俺は、そんな男なんだ。だからマダム、嗤ってくれよ」

「…………」

「いや、親父の代りに叱りつけてくれたっていいのだ」

「…………」

「ああ、俺って」

「ねえ、もっと詳しくお話になりません」

「詳しく？」

「だって、坊っちゃんが会社の金を費い込むなんて、あたしにはどうしても信じられません。何かの間違いでしょう？　まして、そのことから石山電気の株を全部売り渡したなんて、大変なことじゃアありませんか」

「そうだ。大変なことだ。今となってそのことを胆に銘じている。しかし、もうどうにもならないんだよ、マダム」

「だからもっと詳しく。あたしだって他人事に思えないんですもの」

「よしッ、マダム、聞いてくれ。俺のバカさ加減を聞いてくれ。愚痴だと思って聞いてくれ」

宗吉の話をマダムは、熱心に聞いていた。が、聞き終っても黙って何か考えているようであった。

「マダム。どうして嗤わないのだ」

「………」

「どうして親父に代って叱ってくれないのだ」

「ねッ」

「何んだね、マダム」

「その話、ちょっと臭いとお思いになりません？」

「臭い？」

「あたしには、何も彼もあなたから石山電気の株を安く取り上げるための岡田さんの謀略のような気がするんですけど」

「謀略だと？」

「そうよ。岡田さんが矢崎経理部長を手先に使っての」

「しかし、矢崎経理部長は、僕のために馘になったんだよ」

「そりゃア石山電気は、一応馘になったとしても、代りにもっと条件のいいところへ岡田さんの世話で入社出来たら問題がないでしょう？」

「………」

「こういっては悪いけど、奥さんをあなたにお世話なさったのも、岡田さんの謀略であったかも」

「しかし、証拠がない」

「そうよ、今のところ証拠はありません」

「かりに証拠があったとしても、今となってはどうにもならない」

「そうね」

「僕は、株を売ってしまったし、その代金を貰ってしまっているんだ」

「すると、泣き寝入りするより仕方がないのね」

「残念ながら」

そこまでいってから宗吉は、口をつぐんだ。何かを考えているようであったが、

「いや、たった一つ、方法がある」

「方法？」

「祈り殺してやるのだ！」

「まア祈り殺すですって？」

栄子は、この大時代的な言葉にあきれ果て、笑いをこらえているようであった。しかし、そのときの宗吉は、大真面目であったばかりでなく、眼がギラギラと異様に光

っているようであった。

その無気味さに栄子は、思わず笑いを引っ込めた。

「日本には昔から復讐の手段として、祈り殺すという方法があったのだ。だから」

「だから?」

「もし、はっきり謀略であったという証拠があったら僕は、あらゆる怨念をこめて、あの連中を祈り殺してやる。何んとしてでも祈り殺してやる」

宗吉の顔にいちだんと無気味さが加わったようであった。

四

その次に宗吉が栄子の前に姿を現したのは、それから一か月ぐらい過ぎてであった。

しかし、栄子の眼に宗吉がげっそり痩せたように見えた。何かいらいらしているように見えた。そこにはかつての坊っちゃんらしいおっとりした雰囲気はなかった。栄子は、別人を見る思いがした。

「マダム、どうしてもダメなんだ」

宗吉はいった。

「ダメって？」

栄子は、訊き返した。

「あの連中の謀略であったという証拠を摑むことだ」

宗吉は、まだあのことにこだわっていたのだ。ということは本気で祈り殺すことを考えていることになる。栄子にも宗吉の口惜しさがわかるのだ。しかし、祈り殺すとなると、どうも本気でついていけない気がするのであった。昔のことは知らないが、今頃、そんなことが出来る筈がないと思っていた。かりに、こころみたとしても無残な徒労に終るに違いないのだ。

「僕はね、それこそ恥を忍んで、石山電気の社員の何人かを引っ張り出してうんとご馳走して、その後の会社の容子を訊いてみたんだ」

「…………」

「どいつもこいつも僕を罪人でも見るように冷たい眼で見るのだ。僕に引っ張り出されたことを迷惑がっているようなのだ。かりにもかつて社長であった僕をだよ。社長だった頃の僕に、あんなにちやほやした連中がだよ」

「…………」

「しかし、僕は、それだって身から出たサビと我慢した。が、我慢すればするほど、あいつらが憎らしくなってくるのだ」

「そうでしょうとも」

「が、結局、わかったことは、その後、会社は、専務が社長になり、矢崎が辞めさせられたということだけなんだ。岡田だってめったに会社へ顔を出さないということなんだ。会社は、僕への批難を別にすれば、至極平穏だというのだ」

「…………」

「だからいっそう口惜しいんだよ。このままでは死んでも死に切れない。かりに死んだとしても親父の前に出られない」

「まっ、死ぬなんて、よして頂戴」

「勿論、死んだりするもんか、あいつらを祈り殺してやるまでは」

そのいい方には何か正常でないものがあるようであった。日夜、思い詰めているうちにそうなったのか。あるいは宗吉には、もともとそういう気があったのではないかと、栄子は、ますます薄気味悪くなってくるようであった。

そのとき、古くからこの店に勤めている女が近寄って来て、

「あたし、先日、坊っちゃんの奥さんにお会いしたわよ」

と、報告した。

「えっ、何処でだ」

宗吉は、眼を光らした。宗吉は、何度か久美子をこの店へ連れて来ているので、その女が久美子を知っていてもおかしくなかった。

「新宿でよ。あたし、お客さんに連れられて入ったバー、そう、久美と麻子とかいう店だったわ」

「おい、久美と麻子だって?」

宗吉が、そこらにひびきわたるような大声を出した。

「あんた、本当に、久美と麻子というバーだったの?」

栄子は、信じられぬようにいった。二人共宗吉を裏切った女の名である。

「たしか、そうよ。ママさんが二人いて、そのうちの一人が、前の奥さんだったわ。あたし、すぐ気がついたんだけど、奥さんの方は気がつかなかったようだったから、こっちも知らん顔をしていたのよ」

「で、もう一人のママってのは?」

「二十七、八歳で、色白で、唇の薄い感じの人だったようだけど」

「もう間違いない」

「あんた、そんな重大なことをどうして今日まで黙っていたのよ」

「重大？　どうして、そのことがそんな重大なことなの？」

「まあ、いい。それよりもそこへの地図を書いてくれないか」

「いいわ」

女は、メモの上に地図を描き始めた。

「いらっしゃいますの？」

栄子がいった。

「勿論、これからすぐに行く。二人がいっしょにバーのマダムになっているってことは、即ち二人がグルであった証拠になる」

「まア、そうだわね」

「だからとっちめてやる」

「だけどその二人が、岡田さんとグルになっていたという証拠は、どうなりますの？」

「とっちめてやれば、恐らく白状するだろうよ」

「そう簡単に行く女たちかしら？」

「マダム。今の僕は、昔の僕とは違うんだよ。これでも鬼になりかかっているんだ」

「鬼……」

「復讐の鬼なんだ」

「それにしても、どうしてそんな久美と麻子というような名をつけたのかしら？」

「知らんよ。向うの家庭の事情があってのことだろうよ。もう一つ、あの連中は、僕を甘く見ているんだ。更にいえば、復讐の神は、僕に味方をしてくれていることになる」

「復讐の神。そんな神さまがありますの？」

「あるさ。あるに決っている」

　復讐の鬼とか、復讐の神とか、宗吉のいうことがいよいよおだやかでなくなってくる。何かに憑かれているようであった。栄子には、宗吉が手に負えない男になっていくように思われた。かといって、どうにも出来ないのだ。放っておくより仕方がないようだ。

　それから一時間ばかりして宗吉は、新宿の花園町のバー「久美と麻子」の前に立っていた。新宿でも中級のバーというところであろう。宗吉は、その看板を睨みつけるようにしていた。昂ぶってくる気持を、一方でおさえねばと努めているようであった。何んとしてでも二人に泥を吐かせたかった。しかし、二人がどんなにしたたかな女であるかは、すでにわかっていた。余程の押しが必要なのに違いなかろう。

宗吉は、バーの中へ入って行った。割合いに空いているようであった。

「いらっしゃいまし」

女がいった。

宗吉は、入口に立ったまま、そこらを睨みつけるようにしていた。早く、久美子か麻子を見つけたかった。

奥のテーブルから、

「あっ」

という女の叫び声が聞えた。

宗吉は、そっちを見て、

「おお」

と叫び、更に、

「おおっ」

と、まるでけだもののような声を発した。

宗吉は、立ちすくんでいる久美子を見たのだった。しかし、それ以外に、麻子がいた。矢崎がいた。岡田までがいた。四人は、自分の眼を疑ぐるように宗吉を見ていた。どうにも信じられぬようであった。しかし、宗吉の方は、ここで憎い四人の姿をいっしょに見ようとは、もっと信じられぬようであった。同時に、あのことが謀略であったことは間違いなかったと確信した。

「おや、どうかなさったんですか」

岡田は、さりげなくいったが、流石(さすが)に困惑しているようであった。矢崎は、顔が上げられないようだ。麻子は、ふてくされていた。久美子は、逃げ出したい素振りだった。

宗吉は、ゆっくりと近寄って行くと、

「君たちがここで揃っているところをこの眼でしっかり見つめたかったのだ」

と、低いが押し殺すような声でいった。

「そうですか、ご苦労さんです」

岡田がいった。

「これで何も彼もはっきりしたんだ」

「何が、ですか」

「君が、この連中を手先につかって、うまうまと僕から石山電気の株を奪ったことがだ」

「人聞きの悪いことをおっしゃらないで下さいよ。それとも何か証拠でもあるんですか」

「本来なら顔を揃えることのない四人がこうやって集っていることが、何よりもの証拠ではないか」

「何、ほんの偶然ですよ」

「騙されるもんか」

「では、ご随意に」

岡田は、突っ放すようにいった。

「よく聞けよ、岡田。君は、時価にすれば二億円以上になるだろう石山電気の株を、たった六千万円で俺から取り上げたんだぞ」

「見解の相違ですな」

「しかもだ。その六千万円のうちから会社へ二千五百万円を俺に返せといい、その女との手切金が千五百万円、更に、そっちの女にはマンション代として千万円を払わせている。だから俺は、たった千万円であれだけの株を取り上げられたことになるのだ」

「おや、だいぶん計算がお出来になるようになりましたね。やはり人間は、苦労してみるものですな。しかし、もう今となっては、すべて後の祭、曳かれ者の小唄ということでしょうな。お気の毒に、坊っちゃん」

「このままですむと思っているのか」

「では、警察へでも？　どうぞ、ご随意に」

「誰が警察へなんか行くものか、そのかわりお前たちを一人残らず地獄へつき落してやるのだ」

「地獄って、どこですかね」

「祈り殺してやるのだ」

「祈り殺す？」

その後、岡田は、さもおかしそうに大口で笑って、

「坊っちゃん、とうとう頭に来たんですか。いい精神病院をご紹介しましょうか」

「おい、四人共、よくこの俺の顔を見ておけ。俺は、今日からこの顔で、毎日、お前たちを殺すためにあらゆる怨念をこめて祈りつづけるのだ」

「あんた、変なことをいわないでよ。気味の悪い」

麻子がいった。

「そうか、麻子、気味が悪いか。では、お前は、近く交通事故で死ぬように祈りつづけてやる。そうだ、久美子もいっしょだ」

二人の女は、顔を見合わした。

「次に、矢崎、お前は、どうやら血圧が高そうだから近く脳出血で死ぬように祈りつづけてやろう」

矢崎は、ギクッとしたようだ。

「面白そうですね、坊っちゃん。するとお前、私は、何んですかね」

岡田がいった。あくまで不敵ぶっているようであった。そうでもしないと、他の三人がますます動揺すると知ってのことであったろう。

「お前は、癌だ」

「癌……」

「そうだ、地獄の責め苦に会うような激痛のともなう癌だ」

「脅(おど)しですかい？」

「いいだろう、ただの脅しと思っていても。しかし、そのうちにただの脅しでなかったことがわかってくるだろう。とにかく四人共忘れるなよ。お前たちを死なせるために俺が日夜祈りつづけているであろうことを。幸いに俺は、四人の写真を持っている。その写真を前にして呪いつづけてやる。一日も早く死んで貰うように祈りつづけてやる。いいか、俺をただの人間と思うな。もう鬼なんだ。復讐の鬼なんだ。狂人なんだ」

　そのとき四人の眼に、あるいは宗吉は、鬼とも、復讐の鬼とも、狂人とも見えたかも知れない。誰も口を利かなかった。自分たちを呪って、怨念をこめて、その死を祈りつづけるという宗吉の凄まじい姿を頭に描いていたかも知れない。バーの中は、鳴りを鎮めていた。宗吉は、踵（きびす）を返すと、そのバーから出て行きかけたのだが、ふっと振り返って、

「俺は、たった今から死神になったのだ。いいか、死神になってお前たちに取っ憑いたのだ。絶対にはなれることのない死神なんだ」

　と、いうと四人の顔を順々にじいっと見ていてからすうっと姿を消して行ってしまった。

五

　三か月ばかり過ぎて、栄子は、宗吉から電話を受けた。

「あら、坊っちゃん。お元気ですか」

「マダム、そんなことよりけさの新聞を見たかね」

宗吉は、押し殺したような声でいった。栄子は、その声を聞いただけで、何んとなくぞうっとした。どうしてかはわからなかったが冷たいものが背筋を走ったような気がした。すくなくとも宗吉のふだんの声とは違っているようであった。

「けさの新聞？」

「久美子と麻子が東名高速で自動車事故で即死したのだ。そのことがけさの新聞に出ていたのだ」

「まっ」

「とうとう俺は、やったのだ。俺は、祈り殺してやったのだ」

「…………」

「俺が日夜、祈り続けた甲斐があったのだ」

栄子は、宗吉が四人の写真を前にして、復讐の鬼となり、復讐の神となり、また死神になって祈り続けるのだといったことを思い出していた。しかし、まさかと思っていた。かりに一週間や十日間はそういうことが続けられても、すぐに飽きるだろうし、バカらしくなって止めるだろうと思っていた。しかし、どうやら宗吉は、この三か月間、ずうっと祈り続けていたらしいのだ。けさの新聞に出ていたという久美子と麻子の自動車事故の死を、自分の祈りのせいだと信じ込んでいるらしいのだ。すると栄子には、ロウソクの灯のゆらぐ薄暗い部屋の、四人の写真の前で、それこそ悪鬼の形相となって日夜祈り続けている宗吉の姿が見えてくるようであった。髪を振り乱し、髭を延び放題にし、爪を鋭くとんがらし、頬がこけて、眼をギラギラ妖しく光らせながら、しきりに何かの呪文をとなえつづけているのだ。明らかに狂人である。恐らくお手伝だって気味悪がって逃げ出してしまっているだろう。栄子には、さっき宗吉の声を聞いただけで、冷たいものが背筋を走った理由がわかったような気がした。

「次は、矢崎の番なのだ」

「…………」

「あいつが脳出血でたおれる番なのだ」

「…………」

「久美子と麻子が自動車事故で死ぬまでは、俺のいうことを半信半疑でいたろう。せせら笑ってもいただろう」

「…………」

「しかし、今や、ぞっとしているに違いないのだ。怯えているに違いないのだ」

「勿論、岡田だって」

「…………」

「岡田は、矢崎が脳出血でたおれたらそれこそ恐怖のあまり悲鳴をあげるだろう。日夜、うなされるだろう。あらためて自分の非を悔いるだろう。ひょっとしたら俺のところへあやまってくるかも知れぬ」

「…………」

「しかし、俺は、絶対にあいつをゆるしはしない。あいつの前で祈り続けてやる。そういうところを見せてやる。何故なら、今の俺は、人間でないのだ。死神になったのだ」

そこで電話は、急に切れてしまった。しかし、栄子は、その切れた電話から死神の高笑いの声が聞えてくるような気がして、真っ青になっていた。

背の高い女

アラルコン／桑名一博・菅愛子訳

I

ぼくらはなにも分かっちゃいないんですよ、皆さん、なんにも分かってはいないんです――と、著名な営林技師であるガブリエルが、マドリード県とセビーリャ県の県境にあるエスコリアルからおよそ三キロほどのところにある、グアダラーマ山の頂上の泉の近くに立つ松の木の下に腰を下ろしながら言った。私は、その場所と泉と松をよく知っていて、それらを彷彿（ほうふつ）とさせているのだが、名前の方はすっかり忘れてしまった。――決まりになっていて、予定表にも書いてあるので、ここに座って休憩し――と、ガブリエルは言葉を続けた、――この快適で月並みな場所で食事をしましょう。ここは、その泉の水に消化促進の効能があることと、たくさんの子羊たちが、われわれの恩師であるミゲル・ボッシュ先生や、マキシモ・ラグーナ先生、アウグスティン・パスクワル先生、それに、そのほかの偉大な博物学者たちによって食べられてしまったことで有名なのです。ところで、これからぼくは皆さんに、自分の意見を立証するために、ある珍しい、奇妙な話をします……と言ってもそれはたんに、たとえ皆さんから反啓蒙（けいもう）主義者と呼ばれようと、この地球では今でも超自然的なことが起きている、ということを表明するだけのことなんですが。つまり、ハムレットならそんなのはたんなる言葉、言葉、言葉だ、と言うだろうような言葉で、今日こういうものだと理解されている（あるいは理解されていない）理性だとか、科学だとか、哲学だとかいったものの枠には入らない事柄のことですが……

ガブリエルは、この風変わりな談話をさまざまな年齢の五人の男に向けて行なっていたが、さまざまな年令といっても若い人は一人もいなくて、年を取っているのも一人だけだった。彼らのうち三人はやはり営林技師で、四番目の男は画家であり、五人目はいささか文学者めいていた。彼ら全員は、一番の若輩である演説をしている男と一緒に、ペゲリーノスのすばらしい松林で植物採集をしたり、チュール地の捕虫網で蝶を採ったり、病んだ松の木の樹皮の下に潜んでいる珍しい甲虫を捕まえたり、割り勘で買って運んできたハムやソーセージを皆で食べてその日を過ごそうと、それぞれが貸しロバに乗ってサン・ロレンソの王家御領地から登ってきたのだった。

それは一八七五年の夏の盛りのことだった。その日が聖ヤコブの日だったか、それとも聖ルイの日だったかは思い出せないが……どうも聖ルイの日だったような気がする。いずれにしろ、あの頂上付近では気持のいい冷気が満喫出来て、心も、胃も、頭も、俗世間で日常生活を送っているときよりもよく働いた。六人の仲間が腰を下ろすとすぐに、ガブリエルはこんなふうに話を続けた。

——皆さんはぼくのことを幻視家だなどと言って非難しないと思うけど……幸か不幸かぼくは、言ってみれば現代ふうの人間で、迷信深いところがまったくない人並みの実証主義者です、もっとも、感情に関して言えば、ぼくの心の不思議な働きとか感動などもすべて、自然の確実な事実として扱っていますけど……。さて、超自然的もしくは自然外的な現象についてですが、皆さんはぼくが聞いたことを聞き、ぼくが見たことを見て下さい、たとえ、これからお話しする奇妙きわまりない話の本当の主人公がぼくでないにしてもです。そして、このような不思議な出来事に対して、一体いかなる地球的な、物理的な、自然的な、あるいはなんなりとお好きな呼びかたの説明を加えることが出来るものなのか、すぐにでも教えて頂きたい。

その事件というのはこんなふうでした……ところで、皆さん、一口やって下さい、酒袋の皮はもう、水の涌きでるその澄んだ泉のなかで冷えているでしょうから。これはまったく、植物学者たちのぶどう酒を冷やすためにと、神様がこの松の生い茂る山の頂きに置いてくれた泉だ。

II

――さて、皆さんがテレスフォーロなんとかという、一八六〇年に死んだ土木技師の話を聞いたことがあるかどうかは知りませんが……。

――私はないな。

――ぼくはある！

――ぼくもある。黒い口髭（くちひげ）を生やしたアンダルシーア出身の青年で、モレダ侯爵の令嬢と結婚するところだったが……黄疸（おうだん）で死んでしまった。

――そう、その男だ！――と、ガブリエルは話を続けた。――その、ぼくの友人であったテレスフォーロは死ぬ半年前はまだ、当世ふうに言うと、ぴかぴかの青年でした。若くて、丈夫で、元気がよくて、土木工学院で一番だったという後光に包まれていました。そして、実地の面でもすでに立派な仕事をやりとげて評判になっていましたから、あの公共事業の黄金時代には幾つかの私企業が彼を狙っていたし、また未婚の女性や、結婚生活がうまくいってない人妻、それにもちろん性懲りもない未亡人たちが彼を張り合っていて、そのなかにはとてもいい女も何人かいました。が、そうした未亡人たちのことはいまは関係ありません、というのは、テレスフォーロが真剣に愛したのはさっき話した婚約者の、かわいそうなホアキニータ・モレダだったからで、そのほかの恋は、たんに利用するだけの色恋の域を出るものじゃあなかったから。

——ガブリエルさん、脇道にそれないで！

——うん、分かった。本筋に戻ろう、ぼくの話も宗教論争と同じで、冗談や洒落(しゃれ)には向いてないからな。フワン、コップにもう半分注いでくれ……。このぶどう酒は本当においしいね！　まあ、そういう訳ですから、よく注意して真面目に聞いて下さい、これから痛ましい話が始まりますから。

ホアキーナを知っていた人はご存じのように、彼女がサンタ・アゲダの湯治場で急死したのは一八五九年の夏の終わりのことでした。この悲しい知らせがもたらされたとき、ぼくはポウにいましたが、テレスフォーロとは親密な友情で結ばれていたので、殊更に悲しい思いを味わいました。彼女にはたった一度だけ、彼女の叔母(おば)さんのロペス将軍夫人の家で話しかけたことがあっただけですが、動脈瘤(りゅう)を持つ人に特有のあの青みを帯びた顔色の白さを見たとき、ぼくが即座に、あれは健康をそこねている徴候だと思ったのはたしかです。しかしとにかく、彼女の気品と、美しさと、立ち居振舞いの優雅さは何物にも替えがたいものだったし、それに彼女は貴族の、莫大(ばくだい)な財産を伴った貴族のひとり娘でしたから、わが仲良しの数学者が、容易に慰められないような状態にあるだろうということは見当がつきました。そこで、彼女の死後二週間か三週間してマドリードに帰るとすぐに、ぼくはある朝とても早い時間に、ロボ通りにある、事務所の所長の部屋であると同時に、広々とした邸宅に住む独身青年のものでもあるしゃれた部屋に、彼を訪ねて行ったのです。番地は思い出せないが、そう、たしか、サン・ヘロニモ街道のすぐ近くでした。

うわべは悲しみを抑えているみたいでしたが、かなりひどく悲嘆に暮れていた若い技師は、その時間にはもう助手たちと一緒になんとかいう鉄道プロジェクトの仕事をしていて、黒い喪服を着ていました。彼はぼくをしっかりと、そして微かな溜め息もつかずに、長いこと抱き締めました。それから、助手の一人にやりかけの仕事について幾つかの指示を与えると、やっと、その家の裏側にある彼の書斎の方へぼくを案内し、道々、こちらの顔を見ないで陰気な口調でこう言ったのです。

——君が来てくれて本当に嬉しいよ。なにしろこんな状態なので、いままでに何度も君がいてくれたらなあと思ったんだ。実は、たいへん変わった、奇妙なことが起きているのでね。でも、君のような友達じゃないと、この話をしても、ぼくを馬鹿か気違いだと誤解されかねないからね。それにぼくとしては、このことについて、科学みたいに平静で冷徹な意見をなにか聞く必要があるし。ま、腰を下ろしてくれ給え。―
―われわれが書斎に着くと、彼は話を続けました――だけど、決して心配することはないぜ、ぼくが、生きている限り続くだろう自分の悲しみを述べ立てて、君を困らせるんじゃあないかってことは。そんなことをしても何になるだろう？　人の悲しみが少しでも分かりさえすれば、そんなことは容易に想像出来ることなんだから。ぼくは今だろうと後になってからだろうと、いかなる時でも慰めて貰いたくはないんだ！　ところで、これから君に話そうとしていることは、ことがことだけに慎重に、つまり事件の発端から話すけれど、いかにも恐ろしくて不可解なところがあって、あの不幸の忌まわしい前兆の役を演じ、君を怖がらせるくらいぼくの精神を極度の不安に陥れてしまったんだ。

――話してくれよ！――と、ぼくは答えましたが、実際は、友達の顔に浮かんだ弱気の表情を見て、あの屋敷を訪れたことに何となく後悔めいた気がし始めていたのです。

――実は、こうなんだ――と、彼は汗の浮き出た額を拭いながら言いました。

III

ぼくの想像力に生まれながらに具わる宿命のせいなのか、それとも、揺籃の幼な子を不用意にも脅えさせてしまう、ああした昔話の何かを聞いて身につけてしまった悪い癖のせいなのかは分からないけど、ぼくは幼い頃から、頭に思い描くにせよ実際に出会うにせよ、夜の遅い時間に、通りにたった独りでいる女性ほど、怖いと思い、ぎょっとさせられるものはなかった。

ぼくが臆病だったことが一度もないのははっきりしている。そうすることが必要だったときには、品位あるどんな男とも同じように決闘したし、土木工学院を出たばかりの頃には、デスペニャペーロスで反乱を起こした人夫たちと棍棒や銃で戦い、最後には彼らを服従させてしまったんだから。いままで、ハエンでも、マドリードでも、またそのほかの幾つかの土地でも、時ならぬ時間に、ぼくを眠れなくしている恋の悩みのことだけを考えながら、武器を持たずに、独りで通りを歩いたことがあるが、万が一、泥棒であれ単なる強がり屋であれ、厭な感じの人影にでっくわしたときでも、逃げ出したり脇にどいたりしてぼくに道路の真ん中を自由に通らせてくれたのは彼らの方だった。しかし、もしその人影が、立ち止まっているにしろ歩いているにしろ、独りだけの女であって、しかもこちらも独りであり、それ以外の人はどこにもいない……といったようなときには（笑いたければ笑ってもいいが、ぼくの言うことを信じてくれ）、いつも鳥肌が立ち、漠然とした恐怖がぼくの心を襲い、あの世の魂だとか、空想の生き物だとか、ほかの場合だったら笑い出してしまうような、あらゆる迷信的な作り物のことを考え、歩調を速めたり後ろを振り向いたりしても、家のなかに入るまでは驚愕を拭い去ることも出来なければ、一時たりとも気を紛らわすことも出来なかったのだ。

ひとたび家のなかに入ってしまうと、誰にも見られていないと考えてほっとすることもあって、自分でも笑いだし、自分の気違い沙汰を恥ずかしく思ったものだ。そのときには、ぼくは妖怪も魔女もお化けも信じていないのだから、何もあの痩せた女性を怖がるべきではなかったのだ、あの女は貧困とか、悪徳とか、あるいは何かの不幸な出来事のためにあんな時間に家の外に出ていたのだろうから、もし必要だったら助力を申し出るとか、求められれば施し物をあげるとかしたほうが彼女のためになっていたのではなかったかと、冷静に考えたものだった。にもかかわらず、また同じような場面に出会うと、そのたびごとにあの嘆かわしい情景が繰り返されたのだ。だけど心得ていて貰いたいのは、ぼくはすでに二十五歳になっていたし、そういう機会の多くは夜のアヴァンチュールのときに起きたのだが、しかし、ああした独りで夜更かしをする女たちが相手の場合には、一度として滅入りこむような思いをすることがなかったということだ！……でも結局のところ、いままで話したことはどれ一つとして、本当に重要な意味を持つまでには至らなかった、というのは、そうした理性では説明出来ない恐怖はいつも、わが家にたどり着くか通りでほかの人を見かけたりすると、たちまち雲散霧消してしまい、原因も結果もない間違いや必要性が思い出されないように、数分後にはそれを思い出しさえしなかったのだから。

そんな具合だったのだが、ほぼ三年近く前のこと……（あいにくなことに、ぼくは幾つかの根拠からその日付けを確定出来るのだが、それは一八五七年十一月の十五日から十六日にかけての夜のことだった）、夜なかの三時に、君は覚えているだろうが、あの頃ぼくが住んでいた、モンテーラ通りの近くのハルディネス通りにある拙宅に帰るところだった。そんな遅い時間に、しかも風と寒さの厳しい時季に、ぼくは愛の巣なんかからではなく……（君は驚くかもしれないけど、言ってしまおう）一種の賭博所から出て来たところだった。そこは、警察には賭博所として知られていなかったけれど、そこで破産してしまった人がすでにたくさんいるといったところで、ぼくはその晩初めて……そして最後になったが、その家に連れていかれたのだ。ぼくが賭け事をする人間でなかったことは君も知っての通りで、そこに足を踏み入れたのも、幾ばくかの金をエナノ遊びに賭けるという口実で、フランネルのスカートをはいて丸テーブルについているいかがわしい素行の（純然たる売春婦だった）、品のいいご婦人たちと知り合いになるためだから、と悪友に信じこまされ、騙されたがためだった。事の成り行きはこんなふうだった。十二時頃になると、王立劇場とか本物の貴族たちのサロンからやってきた、ほかの常連たちが顔を見せ始めた。するとゲームが替わって、金貨が輝き出し、次いでお札が積まれ、その後は鉛筆書きの証書がやりとりされた。ぼくは次第に、興奮と誘惑に満ちた悪徳の暗いジャングルのなかで我を忘れ、持ち金を全部すり、所有していた財産をすべて失ったが、それでもなお多額の借金が残ってしまい、その分の約束手形を切った。つまりぼくは完全に破産したわけで、親の遺産とその直後に請け負った大仕事がなかったら、ぼくの立場はひどく不安な、追い詰められたものになっていただろう。

繰り返しておくけど、ぼくはあの晩、寒さと空腹に身をこわばらせ、恥辱と不快の念に包まれて家路についていたが、その気持は君にも察しがつくだろう。ぼくは自分自身のことよりも、金を無心する手紙を出さなければならない病床にある老いた父親のことを考えていた。というのもその手紙は、ぼくが恵まれた余裕のある生活をしていると思いこんでいる父親に、必ずや驚きと苦悩をもたらす筈だったからだ……と、そのとき、ペリグロス通りに面した口からわが家へ向かう道へ少し入ったところで、ぼくが歩いていた歩道側に最近立ったばかりの家の前を通りかかったとき、閉まっている戸口のくぼみのところに、まるで丸太棒みたいにじっと動かずに身体を硬直させている、六十歳くらいの、とても背の高い、気丈そうな女が立っているのに気がついた。その女の、まつ毛のない悪意に満ちた不敵な目は、二本の短剣みたいにぼくの目に突き刺さったが、その一方で女は、歯の抜け落ちた口で微笑もうとして、ぼくに物凄い形相を見せたのだ……

瞬間的にぼくを捉えた恐怖そのもの、というか常軌を逸した脅えのせいで、ぼくはなんだか分からない不思議な感知力を与えられ、一瞬のうちに、つまり、あの嫌悪を催す醜悪な女のそばをすれすれに通るのに要したであろう一、二秒の間に、彼女の姿形や衣服のごく些細な部分まで見分けることが出来たのだ……。ぼくがその時に受けた姿形や様子の印象は、そっくりそのまま、地獄の稲妻みたいにあの不吉な光景を浮き上がらせたほの暗い街灯の明かりに照らされて、ぼくの脳裏に永遠に刻みこまれているので、うまく整理して話せるかどうかやってみよう。

とはいうものの、ぼくはいま興奮し過ぎている。もっとも、これが理由のないことでないことは先にいって分かるだろうけど！　しかし、精神状態の方は心配御無用……ぼくはまだ狂ってはいないから！

これから先は女と呼ぶことにするが、その人物から受けた最初のショックは、そのとてつもない背の高さと、痩せこけた肩巾の広さだった。次いで、ふくろうの目みたいな生気のない目が、まん丸で、じっと見据えること、突き出た鼻が馬鹿でかいこと、それと、前歯がずらりと抜け落ちていて、それが彼女の口を一種の暗い穴にしていたことだった。そして最後に、あのアバピエス地区の小娘みたいな服と、頭にかぶって顎の下で結んでいる木綿の真新しい小さなスカーフ、それに、片手に持って慎み深げに腰の中央あたりを覆っている、ちっぽけな開かれた扇だった。

たいへん醜い、年とった、骨ばった大女の弱々しさを象徴する笏として、馬鹿でかい手に持たれたちっぽけな扇が使われることとくらい滑稽で、ぶざまなものはなく、またそれほど馬鹿馬鹿しく、嫌みなものもなかった！　彼女の顔を飾っていたあの派手な綿布のちっぽけなスカーフも、舟の舳先みたいな、鷲鼻の、ぼくが一瞬（喜ばなかった訳ではないが）仮装した男かと思ったあの男性的な鼻にとっては、同じ効果しか生んでいなかった。しかし、あの皮肉っぽい目つきとぞっとするような薄笑いは、老婆の、魔女の、妖術師の、死の女神の……何か分からないものの、これまで、夜、通りを独りで歩いている女たちを見てぼくが抱いてきた嫌悪感や恐怖感を十分に正当化してくれる何物かのものだった。言ってみれば、ぼくは揺籠にいたときからあの出会いを予感してきたのだった！　それぞれの生物が自分の天敵を恐れ、探り廻り、嗅ぎ廻り、何一つ危害を受けないうちから、それを見るよりも前に、ただその足音を聞いただけで自分の天敵だと見分けるように、ぼくはそれを本能的に恐れていたのだというふうにも言えるだろう。

ぼくは、わが生涯のスフィンクスを見てもすぐには駆け出さなかったが、それは、逃げるのを恥だと思ったからとか、男の威厳にかかわると考えたからではなく、それよりも、ぼく自身の怖がりようが彼女に、ぼくが誰であるかを明かしてしまい、ぼくに襲いかかって、何だか分からないことをするために、ぼくを追いかけるための翼を彼女に与えやしないかと恐れたためだ。パニック状態のなかで夢のようにして見る危険には、定まった形もなければ、それを表現する名前もないのだ。

ぼくの家は、ぼくが独りで、まったくの独りっきりで、ひとこと言葉を発するだけでぼくを打ち負かすことが出来るのではないかと思った、あの謎めいたみすぼらしい服を着た背の高い痩せた女といた、細長くて狭い通りの向こう端にあった。あそこまで行き着くにはどうしたらいいのか？　ああ、ぼくはどんな思いで、四六時中警察官のいる広くて明るいモンテーラ通りを遠くに見やったことか！

　そこで、ぼくは最後の力をふり絞ることにした。つまり平気を装い、あの惨めな恐怖心を押し隠し、歩調を速めずに、しかし寿命や健康と引き換えにしてでも常に彼女の前を歩くようにして、とりわけ地面に倒れこんだりしないように気をつけながら、少しずつ家に近づこうと決心したのだ。

　そういうふうにして、ぼくは歩いていた。扇を持つ女が隠れていたあの戸口を後にしてから、もう少なくとも二十歩はそうやって歩いただろうと思ったとき、突然、一つの恐ろしい、驚くような、しかしたいへん理にかなった考えが浮かんだ、つまり、わが敵が後をつけているかどうかを見るために後ろを振り向くという考えだ！

二つに一つだな、とぼくは稲妻のような速さで考えた。ぼくの恐怖に根拠があるのか、それともたんなる精神の錯乱なのか。もし根拠があるのなら、あの女はぼくの後をつけ、ぼくに追いつこうとしており、この世にぼくの救いはない。しかし、もしぼくの恐怖がたんなる精神の錯乱、妄想、あるいは月並なパニックならば、この場合はもちろん、それからまた今後起こるかもしれないすべての場合のためにも、あの気の毒な老婆が寒さから身を守ろうとして、あるいは扉を開けてくれるのを待って、あの戸口のくぼみのところにいるのを見れば、ぼくは成る程と納得し、自宅へ向かって落着いて歩み続けることが出来るだろうし、ぼくにこんな息苦しい思いをさせる妄想からも解放されるだろうと。

この推理がまとまると、ぼくは異常な努力を払って後ろを振り向いた。

ああ！　ガブリエル！　ガブリエル！　なんたることか！　背の高い女は足音を立てずにぼくをつけてきていたのだ。彼女はいまやぼくの上のほうにいて、扇がもう少しでぼくに触れるところで、ぼくの肩越しに頭をのぞかせようとしていたのだ！

一体なぜ？　何のために？　女の泥棒なのか？　実際は仮装した男なのか？　ぼくが怖がっているのを知っている意地の悪い婆さんなのか？　ぼく自身の臆病心から生まれた妖怪なのか？　人間の絶望や弱点をからかう幽霊なのか？

一瞬のうちにぼくの頭をよぎった考えをすべて君に話していたら切りがないだろう！　実のところは、ぼくは大声をあげて、お化けを見たと思った四歳の男の子みたいに駆け出し、モンテーラ通りに入るまで走りやめなかったのだ。

ひとたびそこに着くと、恐怖はたちどころに消えうせた。モンテーラ通りもひっそりしていたのに！　そこでぼくは、あの背の高い女が万一その方向に後戻りしていても、暗くて見えないなんてことがない、道路が真っすぐにのびていて、三つの街灯とペリグロス通りの反射鏡つき街路灯で十二分に照らされているハルディネス通りの方に頭をむけた、が、どうしたことだ、彼女が立ち止まっている姿も、歩いている姿も、何かの格好をしている姿もそこにはなかったのだ！

しかし、ぼくは自分が通ってきた道へもう一度入って行くのは控えた。

――あのあばずれ女めは――とぼくは独り言を言った。――たぶんほかの戸口のくぼみに入りこんだんだろう！　だけど、街灯が照らしてるかぎりは、ここにいる俺様に気づかれずに動くなんていうことは出来ないのだからな。

このとき、カバリェーロ・デ・グラシア通りを一人の夜警がやって来るのが見えたので、自分がいた場所から離れずに、彼を呼んだ。そして、呼んだ理由を説明して職務に対する彼の熱意をかきたてようと、こんなふうに言った。ハルディネス通りに女装した男がいたが、そいつはペリグロス通りからその通りに入ったので、君はアデゥアーナ通りからそちらへ向い、ぼくは、もう一方の出口であるあそこにいて待ちかまえよう、そうやれば、どう見たって泥棒か人殺しに違いないそいつは、われわれから逃れることが出来ないだろうと。

夜警はぼくの言葉に従い、アデゥアーナ通りを行った、それで、彼の持つカンテラがハルディネス通りの向こう側から進んでくるのを見たとき、ぼくもまた腹をきめてその通りに入って行った。

ぼくらはすぐに中間点で落ち合ったが、どちらも、一軒一軒注意して見たにもかかわらず、誰にも出会わなかった。

——どこかの家に入ったんでしょう——と夜警は言った。

——たぶん、そうだろう！——とぼくは、自分の家の扉を開けながら答えたが、明日になったらほかの通りに引っ越そうと固く決心していた。

数分後には四階のぼくの部屋にいた。そこの掛け金の鍵は、わが善良なる召し使いのホセを煩わせなくてもいいように、いつも身につけて持っていたのだ。

ところが、その晩はホセが待っていたのである！　十一月の十五日から十六日にかけてのぼくの不幸な出来事は、まだ終わってはいなかったのだ！

——どうしたんだ？——と、ぼくは不審に思って訊いた。

——ここで——と、彼は明らかに動揺を見せながら言った、十一時から二時半まで、ファルコン少佐がお待ちでした。そして、もし旦那様が休みにお帰りになったら、明け方にまた来るから服を脱がないでいるように、と私に申しつけられました。

そうした言葉を聞くと、ぼくはまるで自分自身の死を知らされたかのように、悲しみと驚きで背筋が寒くなった。というのは、ハエンに住んでいたぼくの愛していた父が、あの冬は、持病の繰り返し起きる危険な発作に苦しんでいるのを知っていたので、急に不幸な結末を迎えた場合には、ファルコン少佐が一番いい方法でぼくに知らせを伝えてくれるだろうから、少佐に電報を打つようにと兄弟たちに手紙を出しておいたからだ。だから父が死んだことに疑いの余地はなかった！　ぼくは肘掛椅子に座って夜明けと友人を、そして、それらと一緒にもたらされるあの大きな不幸の正式な知らせを待った。辛い予想をしながら過ごしたあの二時間を、ぼくがどんなに苦しみ抜いたかは神様だけがご存じだ。その間じゅう（これが今の話と関係があるのだが）、ぼくの頭のなかでは、奇っ怪な恐ろしい群れを作ろうとしている、見たところ異質の三つの異なった概念を、つまり賭博での損失、背の高い女との遭遇、立派な父親の死を切り離せずにいたのだ！

六時ちょうどにファルコン少佐がぼくの書斎に入ってきた、そして、黙ったままぼくをじっと見つめた。

ぼくがさめざめと泣きながら彼の腕のなかに身を投げ出すと、少佐は軽くぼくに触れながら大きな声で言った。

――泣き給え、そう、泣き給え！　いつもそうやって悲しんでくれるといいんだが！

IV

ぼくの友人のテレスフォーロも――と、ガブリエルはぶどう酒をもう一杯飲み干すとすぐに話し続けた――ここまで話すとやはり一服して、それからこんな言葉で話を続けたんだ。

――もしぼくの話がここで終わるなら、たぶん君は、僕の話には異常なことや超自然的なことは何もないと思い、ぼくからこの話を聞いたとても分別のある二人の男がその時に言ったのと、まったく同じことを言うことが出来るだろう。つまり、生き生きとした強烈な想像力を具えている人には、それぞれ過度に恐がるものがあって、ぼくの場合は、それが深夜に独り歩きをする女で、ハルディネス通りで出会った老婆は家も家庭も持たない哀れな女に過ぎず、彼女が施しを貰おうとしたらぼくが叫び声を挙げて走り出してしまったのだとか、あるいは彼女は、男と女のことに関してはいかがわしいところのある、あの界隈（かいわい）のポン引き婆さんだったのだとか。

ぼくもそう思いたかった、数か月後にはぼくもそう信じるようになった。にもかかわらず、あの頃は、あの背の高い女に再び出会うことはないという確信が持てるならば、寿命を縮めてもいいと思った。ところが今は、あの女に再び出会えるなら、身体じゅうの血を流してもいいと思っているんだ！

——何のために？

——彼女を即座に殺すためさ！

——言ってることが分からないなあ……

——三週間前、ぼくのかわいそうなホアキーナが死んだという不幸な知らせを受取る数時間前に、ぼくがまたあの女に出っくわしたんだと言えば分かって貰えるだろう。

——話してくれ、聞かせてくれよ。

——話さなければならないことは、もうほとんど無いんだが。あれは明け方の五時だった。ぼくはかつての愛人であるT未亡人と、愛のとは言うまい、苦々しい涙と胸を掻き毟られるような言い争いの最後の一夜を過ごしてきたところだった。すでにもう一人の不幸な女性との結婚予告が公示されてしまったので、彼女とはどうしても別れなければならなかったのだ。が、その同じ時刻に、サンタ・アゲダでぼくの婚約者が埋葬されていたとは！

まだすっかり明け切ってはいなかったが、オリエンテの方へと連なる街並みにはすでに暁の光が差し始めていた。夜警たちは街灯の灯を消し終え、すでに引き揚げてしまっていたが、そのころ、ぼくがプラド通りを横切ろうとしたら、つまり、ロボ通りのある区画から別の区画へ移ろうとしたら、目の前をコルテス広場からサンタ・アナ広場へ向かうといった様子で、ハルディネス通りで出会ったあの凄い女が通り抜けたのだ。

彼女はぼくの方を見なかった、それで、こちらの姿は見られていないと思った。女は三年前と同じ服を着ていて、同じ扇を持っていた。ぼくの動揺と怖じ気はかつてないほど大きかった！　彼女が通り過ぎるとすぐに、大急ぎでプラサ通りを渡ったが、彼女が振り返らないのを確認するために、ぼくは彼女から目を離さなかった。そしてロボ通りの別の区画に入るや否や、ぼくはまるで激流を泳いで渡り終えたかのようにほっと一息ついて、それから再びこちらへ向かう足取りを速めたが、そのときは怖々としてというよりも喜々としていた、というのは、彼女のすぐ近くにいたにもかかわらず見られなかったという事実だけで、あの憎むべき魔女に打ち勝ち、その力を無効にしたと思っていたからだ。

もうすでにこの自宅の近くまで来ていたとき、突然、恐怖の眩暈みたいなものに襲われたが、それはあのひどく抜け目のない老婆は、ぼくの姿を見てぼくのことが分かっているのかも知れない、ぼくを、まだ暗いロボ通りに入りこませ、そこで出し抜けに襲うために気づかぬふりをしたのかも知れない、後をつけているのかも知れない、もうぼくの上の方にいるかも知れないなどと考えたからだ。

　そこでぼくは振り返った。そしたら、そこにいたんだ！　そこに、ぼくの背後に、服が触れんばかりにして、あの厭らしいやにさがった目でぼくを見詰め、歯の抜け落ちたむかつくような歯並びを見せ、まるでぼくの子供じみた脅えをあざ笑うかのように、ふざけた様子で扇を使いながら！

　恐怖心がこの上ない無分別な怒りに、自暴自棄の荒々しい憤怒へと変わり、ぼくはその馬鹿でかい老いぼれにとびかかった。片手をそいつの喉にかけて塀に押しつけると、もう一方の手で、ああ厭だ！　そいつの顔や胸や、白髪まじりの貧弱な束ね髪をまさぐり、遂にそいつが人間でありかつ女であることを一緒に確信したのだ。

　その間、彼女はしわがれていると同時に鋭い唸り声をあげたが、ぼくにはそれが、感じてもいない苦痛や恐怖を見せかけだけ表現している偽りの、というか装われたものに思えた。その後で彼女は、泣いているふりをして大声を出したが、実際には泣いていなくて、むしろハイエナみたいな目でぼくを見詰めていた。

　――どうして私に難癖をつけるんですか？

　この言葉はぼくの恐怖をつのらせ、怒りを弱めた。

——覚えているだろう——とぼくは怒鳴った——別の場所で出会ったことがあるのを！

——もちろんですとも、あなた！——と、彼女はせせら笑うかのように答えた。——三年前の聖エウヘニオの晩に、ハルディネス通りで！

ぼくは骨の髄まで震え上がった。

——だけど、あんたは誰なんだ？——と、ぼくは彼女を放さずに言った。——どうしてぼくの後をつけまわすのだ？　ぼくとどういう関係があるのだ？

——私はか弱い女です——と、彼女は悪賢い答えかたをした。——なのに、あんたは訳もなく私を憎み、怖がっていらっしゃる！　もしそうでないというのなら、どうか教えて下さい、一体どうして、初めて私に会ったとき、あんなふうにびっくりしたんですか？

——生まれたときからあんたが大嫌いだからさ！　あんたは、ぼくの人生の疫病神なんだ！

——すると、ずっと前から私を知っていたの？　なら言っておくけど、私も前からあんたを知ってたんだよ！

——あんたがぼくを知っていただって！　いつから？

――あんたが生まれる前からさ！　だから、三年前にあんたが私のそばを通るのを見たとき、私は自分自身に言ったんだよ、「この男だ」とね。

――だけど、あんたにとって、ぼくは誰なんだ？　ぼくにとって、あんたは誰なんだ？

――疫病神さね――と老婆は答えると、ぼくの顔の真ん中に唾を吐きかけ、ぼくの手をふりほどくと、スカートを膝の上までたくし上げて物凄い速さで駆け出したが、足が地面に触れてもまったく足音がしなかった。

彼女に追いつこうとするなんて狂気の沙汰だった！　そのうえ、サン・ヘロニモ街道にはもう人が通っていたし、プラド通りの方もそうだった。すっかり昼間になっていたのだ。背の高い女は、すでに太陽の光で明るいウエルタス通りまで走り続けたというか飛びつづけた。彼女はそこで立ち止まってぼくの方を見ると、閉じた扇を剣みたいに一、二度振り回してぼくを脅し、それから街角の向こうに消えてしまった。

もうちょっと待ってくれ、ガブリエル！　まだ、この争いに裁定を下さないでくれ、ぼくの魂と命が賭けられているのだから！　もうあと二分、耳を傾けてくれ給え！

自宅に入るとファルコン少佐が来ていたが、彼は、この世の幸福と幸運に対するぼくの希望のすべてであるわが婚約者のホアキーナが、前の日にサンタ・アゲダで死んだことを知らせに来たのだった！　彼女の不幸な父親がファルコン少佐に電報を打って、彼からそれをぼくに知らせようとしたのだ。その一時間前にぼくの生涯の疫病神に出会ったとき、当然そのことを見抜いておくべきだったこのぼくに！　これで分かっただろう、ぼくが、わが幸せの生来の敵、わが運命に対する生きた嘲笑(ちょうしょう)ともいうべき、あの汚ならしい老婆を殺す必要があることが？

しかし、ぼくは何を殺そうというのだ？　あれは女だろうか？　あれは人間だろうか？　ぼくはどうして生まれたときからあいつを予感してきたのか？　あの女はなぜ、ぼくを見たときにぼくだと分かったのか？　なぜ、ぼくに何か大きな不幸が起きた時しか、ぼくの前に現れないのか？　あれは悪魔だろうか？　あれは死だろうか？　生だろうか？　反キリストだろうか？　誰だろう？　何だろう？

V

親愛なる皆さん——とガブリエルは語り続けた——皆さんは、ぼくがテレスフォーロを落着かせようとする際に、ぼくが持ち出しかねないような意見や判断は出さなくても結構です。というのは、ぼくの意見と判断は、ぼくの話に何も超自然的なことや超人間的なことが起きていないことを証明しようとして、いま皆さんが準備されているものと同じもの、まったく同じものだからです。皆さんは更に言うでしょう。ぼくの友人は半ば狂っていたと、前からそうだったと、そうでなくても、ある人からはパニック的恐怖と呼ばれ、また別の人からは感情的精神錯乱とか呼ばれている精神病を患っていたのだと。背の高い女について彼が言ったことがすべて本当だとしても、それは日付と事件との偶然の一致に帰すべきだったと。要するに、あの哀れな老婆もまた狂っていたかも知れないし、彼女はこそ泥か、乞食（こじき）か、あるいは、ぼくの話の主人公の頭が明晰（めいせき）で良識を具えているときに自分自身に言い聞かせたように、ぽん引きだったのかも知れないと。

――素晴らしい推測だ！――と、ガブリエルの仲間たちはさまざまな言い方で叫んだ。――われわれはまったく同じことを言おうとしていたんだ！

――それじゃあ、もう少し聞いて下さい、そうすれば、あのときぼくが間違えたように、いま皆さんが考えていることが間違っていると分かるでしょう。不幸なことに、一度も間違えなかったのはテレスフォーロだったのです！ああ！　この世で起きるある種の事柄に対しては、それを説明する言葉を見つけるよりも、狂気の沙汰という言葉で片付ける方がはるかに簡単なのです！

――さあ、早く、話してくれよ！

――いま話すよ。だけど、今度がもう最後になるので、ぶどう酒を一杯やるのは後回しにして話の本筋に戻るとしよう。

VI

テレスフォーロとあの会話を交わしてから数日後、ぼくは営林技師の肩書でアルバセーテ県へ赴任しました。そしてまだ何週間もたたないうちに、ある公共事業の請負業者から、わが不運な友人がひどい黄疸に見舞われたこと、友人は全身が真っ黄色になっていて、仕事もしなければ誰にも会おうとしないで、安楽椅子にへたりこみ、昼も夜も慰めようもないほど辛そうに泣いていること、そしてもはや医者たちも、彼を助ける望みをまったく持っていないのだということを聞きました。そのときに、彼がなぜぼくの手紙に返事をくれないのかが分かったので、ぼくはファルコン少佐に彼の消息を聞くに留(とど)めざるを得ませんでした。少佐は手紙をくれるたびごとに、より思わしくない、悲しい消息を伝えてきました。

五か月間の不在の後、テトゥアンの戦いの公電が届いたのと同じ日に、ぼくはマドリードに帰りました。昨日のことのように覚えています。あの晩、いつも欠かさずに読んでいる『スペイン通信』を買いましたが、最初に読んだのはテレスフォーロが死んだという知らせと、翌朝行われる埋葬の案内でした。

皆さんには、ぼくがその悲しい埋葬式に出席した気持がお分かりだと思います。ぼくは霊柩車のすぐ後に続いた馬車の一台に乗って聖ルイ霊園に行きましたが、そこに着いたとき、ぼくの注意をひいたのは一人の年取った、たいへん背の高い、庶民の女でした。その女は柩が下ろされるのを見ても罰当りな笑い声をあげていましたが、その後、勝ち誇ったような態度で墓掘り人夫たちの前に立って、すでに開けられて棺の到来を待ちわびている墓穴まで行くにはどの道を通るべきかを、とても小さな扇を使って教えていました。

ぼくは最初の一瞥で、その女がテレスフォーロの執拗な敵だということが分かり、驚くと共に怖くなりました。テレスフォーロがぼくに描き聞かせてくれたのとそっくりそのままで、馬鹿でかい鼻と、恐ろしい目と、むかつくような歯の抜け跡と、木綿の小さなスカーフと、それに、あのとても小さな扇を持っていましたが、彼女の手に握られているその扇は、破廉恥と愚弄を象徴する笏のように見えました。

即座に、彼女はぼくが見詰めていることに気がつき、独特な仕方でぼくに視線を注ぎましたが、それはまるでぼくが誰だか分かっているみたいな、まるでぼくが彼女を知っていることに気づいたみたいな、まるで亡くなったテレスフォーロがぼくにハルディネス通りやロボ通りでの光景を語って聞かせたのを承知しているみたいな、まるでぼくに挑みかかるみたいな、まるで、彼女がわが不運なる友人に予言していた憎悪の継承者がぼくであることを宣言するみたいな目でした。

打ち明けて言いますと、そのときのぼくの恐怖はあの新たなる偶然の一致、もしくは同時発生が引き起こした驚嘆に勝るものでした。謎に包まれた老婆とテレスフォーロのあいだには現世の生活に先立って、何か超自然的な関係が存在していたことが明らかだったからです。しかしその時はただ、ぼく自身の命、ぼく自身の魂、ぼく自身の運命のことだけを心配していました。というのも、もしぼくがあのような不運を受け継ぐようなことになったら、そうしたものが危険にさらされるでしょうから。

背の高い女は笑いだすと、あたかもぼくの考えを読み取ったかのように、そしてぼくの臆病さ加減を人々に暴き立てるかのように、破廉恥にも扇でぼくを指し示したのです。ぼくは友達の腕に身を寄せかけて地面に倒れないようにしなければなりませんでした。すると彼女は哀れむような、というか馬鹿にしたような態度を見せ、両踵(かかと)を軸にしてくるりと向きを変えると、顔をぼくの方に向けたまま、自分のために扇を使うと同時にぼくに挨拶を送りながら、霊園のなかへ入って行きました。彼女はなんともいえない色っぽさを漂わせ、死者たちの間を腰を振り振り気取って歩いて行きましたが、最後にはとうとう、あの墓の立ち並ぶパティオと列柱からなる迷宮のなかに永遠に消えうせました。

ぼくは永遠にと言いましたが、それは、あれからもう十五年もたっているのに、その後二度と彼女に会っていないからです。もし彼女が人間ならば、もう死んでしまった筈です。もし人間でなかったとすれば、ぼくのことなんか無視してしまったものと確信しています。

というわけですから、ここらで片をつけましょう！　この大変奇妙な出来事についての皆さんの意見を聞かせて下さい！　皆さんはこれでもまだ、この出来事を普通のことだとお考えですか？

この話の、つまり読者の皆さんがいま読み終えたばかりの物語の作者である私が、ここに、ガブリエルの仲間や友人たちが出した答えを書き記したとしても、それは無駄なことになるであろう。というのは、結局のところ、それぞれの読者がおのれ自身の感じるところ信じるところに従って、この出来事を判断しなければならないだろうから。

それ故、私としては、こんもりと茂ったグアダラーマ山の頂きであの忘れ難い日を共に過ごした六人の参加者のうちの五人に、真情溢れる心からの挨拶を送ると共に、この段落に終止符を打ちたいと思う。

一八八一年八月二十五日　バルデモーロにて

色の褪めた女

小山内薫

大井君が死ぬ一年前の日記を見ると、非常に綿密な日と非常に粗雑な日とがある。朝何時何十分に起きて何と何の新聞を読んで、何時に学校へ出て、第何時間目に何処の教場で何を教えた処が、生徒が難しい質問をして困らしたとか、欠伸をして癪に障ったとか、帰途に牛肉を買って竹の皮包を抱えて来たとか、今日で電車の回数切符が失ったとか、こんなつまらぬ事を明細に書いてある日があるかと思うと、何一つ出来事は書かずに、

「嘘と嘘とは手を握る能わず。」

とか、

「生くべき人の死なんとするを死すべき人の生きよと止む。」

とか、感想の様な格言の様な文句が大きく書いてあるだけの日がある。又左様かと思うと「小豆煮て寝ころび食うや春の雨」とか、「ひとり覚めて我が宿寂し百舌の声」とか、発句一行ですましてある日がある。数字で何か計算の様な事だけしてある日がある。「今日は三両二分稼いだ。」とだけ書いてある日がある。「日記を記す暇なし。」

と忙しそうに書いた日がある。全で真白な日がある。此位不規則な、不統一な日記は無い。如何考えても一人の日記とは思えぬ、哲学者と実業家と俳諧師と学校教師と小説家と職人とが一日代りに書いた日記だ。

この不思議な日記の中に次の様な不思議な事が書いてあった――

『十二月五日。

夕刻、四年振で品川の村田君（当時街鉄社員）を訪ね、ビールの御馳走になり乍ら種々電車の話を聴く。発電所の石炭焚で石炭の焚き様の熟練一つで非常な月給を貰ってる老爺があると云う話を聴いて何だか酷く感心する――自分の月給と石炭焚の月給と比べて見て、又一つ感心する。

大分夜が更けたなと思って時計を見ると、最う十二時近い。忙てて挨拶もそこそこに八ツ山下の停車場へ駈けつけると「赤」が今出る処だ。急いで乗ると、誰も居ない。車掌に「今川橋まで。」と断って置いて、扨隅ッこを占領して寝仕度をする――電車は動き出した。

…………………………………………

ガタ、ガタ、ガタ、ガタンと電車が留ったので、眼が覚めると最う大門！　客は矢張僕一人だ。

誰か乗るのかなと思っていると、一人の少い女が這入って来た。僕と反対の側の隅っこに腰を卸す……

見ると女は羽織を着ている、頭巾を被っている——頭巾はもと紫だったか、今では最う灰色に褪めている。羽織はもと茶だったか、これも灰色に褪めている。衣服の色も褪めている。帯の色も褪めている。羽織の紐も褪めている。白足袋は灰色に汚れている。

この日和続きに足駄を穿いている。足駄の歯に何時附着いた泥だか灰色に乾いている。右の足駄の横鼻緒が一本切れている。鼻緒の色も褪めている。俯向いて物思わしげに眼を閉じた顔の色も褪めている——頭の天辺から足の爪先まで、色の褪めてない処は一つも無い。これは色の褪めた女だ！

如何して此女は如是に色が褪めたのだろう。盥の水にでも浸って居たのかしら。左様だ、「苦労」と云う者が若し水なら、その水に二年も三年も全身を浸して居たのだろう——いるのだろう——。水も大分呑んだらしい、舌の色も必然褪めている、心臓の色も必然褪めている……

車掌は鞄の口を開けて、片手に帯をした切符を、片手にペンチを弄り乍ら、器械的に女に近づく。

女は顔も上げずに、帯の間から財布を出した——財布の色も褪めている……財布を振ると中から往復切符の「復」が一枚出る——女の財産は此切符一枚らしい。その貴き一枚に車掌は容赦もなくペンチを入れて、これを女に渡しながら、

「何処まで御出になります？」

(行先を訊くのは途を急ぐ為だ。)

「何処まで行っても可いんでしょう。」

女は尚俯向き乍ら云う。

車掌は笑って、

「何処までいらしても構いませんが、此電車は上野の車庫へ這入るんですから。」

「え？」

「この電車は上野までしか参りません。」

「では上野まで。」

と云って又眠るともなく眼を閉じる……

木場の堀に何年も用われずに浮いてる色の褪めた材木——場末の呉服屋に何年も売れずに垂下ってる色の褪めたメリンス……女を見てると種々な事が脳裏に浮かぶ。

乃公も何時か色の褪める時があるだろう――いや、今褪めてる最中かも知れない。と思うと慄然とする――今川橋！

降りようとして、ひょっと見ると、色の褪めた少い女は前後も知らず眠りこけている。

一体女は何処まで行くんだろう？　家へ帰って臥床へ這入っても気になる。

十二月六日。

昨夜の女は何処まで行ったろう。車掌は「上野の車庫まで」と云ったが、今日も彼の電車は唯一人色の褪めた女を載せて走ってるような気がする、いつまでもいつまでも走ってるような気がする――廃物が塵取で掃溜へ運ばれる様に、色の褪めた女は電車で掃溜へ行くのではあるまいか……

今日は電車に乗らずに学校へ行く。

色あせた女性

鈴木鼓村

小山内薫、フリッツ・ルンプと私の三人が吉原水道尻の兵庫屋を出たのは、終電車前だった。冬近い大空には銀河が流れて、街は半分眠っていた。田原町から乗った電車には泥酔した労働者風の男が長靴を踏ん張って居眠っているだけで寂然たるもの……三人も大方はとろとろと眠りにおちてゆく様子であった。処が別院前に来ると、今まで無言でいた小山内氏が突然、私を揺りおこして、ヒドくあわてた様子で下車をする準備をしだした、

「どうしたのだい南稲荷迄じゃないか……?」

「いけない、又出たのだ。見ろ！　彼の労働者の横に坐ってやがるのだ降りよう降りるのだ！」

私はすぐネルの単衣を着た紫繻子の昼夜帯の亡霊を思い出した。実際小山内氏は死ぬ迄、この怪異な女性の亡霊になやまされ通しであった。新小説へ「色あせた女」の一篇をのせたがその「色あせた女」はこの亡霊を取扱ったものであった。

小山内氏が最初、亡霊に出喰したのは、彼がまだ学生時代の事で、今の主計官のよ

うな仕事をしていた父の恩給で親子三人――母親と彼と妹はつつましい生計を送っていた、駿河台のとある借宅でそこが彼の家庭らしい生活のはじまりだったが、又この亡霊と最初の出会地であった。何でもこの借宅の主がはしたない芸者と関係した事から、その細君が劇薬自殺を遂げた、その亡霊が二階六畳の間に眠ると現れて来る。鼠色に棒縞のネルを着て、紫繻子の昼夜帯をだらしなくしめ、眠っている者の胸の辺へズッシリとすわり込む。小山内氏も妹さんも、これには辛抱がならず遂に転宅したが、どうした訳か、その後小山内氏の身辺をつき纏って離れない。電車の内で脅え出した亡霊は、そのネルを着た女であった。――京都の智恩院門で高島屋一行の大ペーゼントがあった時小山内氏にあうと、いきなり私を木蔭へ引っ張って行って、

「オイ彼の女は実にしぶとい奴だぜ、京都へ来ても、大阪に行ってもつきまとう……」

と蒼い顔をして眉をしかめた、この女に出喰わすときっと、何か不祥事が持ち上る……。その晩、吉原帰りの電車から降りた三人は、酒の酔もすっかりさめてしまって月影をふんで宛然亡者のように夜明けまで市中をさまよいあるいた。

死神の涙

つのだじろう

もしかして
この作品は死神
から貴女(あなた)への
メッセージかも
知れない……

あの…
失礼ですが
雑誌の編集の
方ですね！
はあ…
そうです
が…

実は
作品を見て
いただき
たいんです
が…

でしたら
明日にでも
昼間 会社の
方へ来て
下さい…！

いえ…
明日では
困るのです…
明日からは
わたしはもう
来られないの
です…
しかし…
こんな
時間に
？

きみの
描いた作品
なの？

いいえ…
ある方から
あなたに
渡してくれる
ようたのまれ
たのです…！
お気に
召したら
雑誌に使って
くださるように
…と！

編集者がちょっと原稿に眼をおとしたスキに なんと女のすがたはかき消すようになくなった…というのです！

東京証券

ほんとに気味が悪かったですよ！編集長
だれが描いたのかわからない原稿か？

まさか幽霊が描いた…っていいたいんじゃないんだろうな？

しかし…そんな気にもなりますよ！見て下さい…この原稿…

そうです…それにはおそろしい話が描かれていたのです！
作者不明のその…原稿みなさんも読んでみて下さい…！

死神はいつも
不気味に笑って
いる…けれど
もし死神の涙を
見た者がいたら
…その人は…
必ず不幸な事件
に　とり憑かれ
る！

の涙（なみだ）
そう…この話は作者不明なのです
一応つのだじろうとしてありますが……
つのだじろうは話を読者に紹介する媒介役にすぎないのかも知れません！

しに　がみ
死神

交通事故だっ!!
人がはねられたっ!!

お兄ちゃんっお兄ちゃんっ!!
シッカリしてっ!!

し…死神!!
死神の涙を…見てはいけ…ない

つのだじろう

突然の交通事故で
ひとりの雑誌編集者が
妹の目の前で死んだ！
『死神の涙』を
見るな！…という
奇怪で意味不明の
言葉を残して――

妹の名は
岡本香澄16歳
東星高校一年――
死神の涙
…って
あたしにも
何の事だか
わからない
んです！

昨日…
兄さんが
あたしを
よび出し
て…
ひどく
おびえて…
変な事を
いうんです

幽霊が
かいたとしか
考えられない
漫画を見た
それは
恐ろしい
オカルト
で…

登場人物の
ひとりが
ひどく自分に
似ている…

もしかすると
自分は死ぬか
も知れない…
なんていうん
です…!
あたしが
恐ろしくなっ
て 泣き出す
と…

兄は…
突然立ち上がり
くるったように
表へ飛び出し
…
車に
はねられて
…そのまま
……

つまり…
龍一さんの
死を予告した
漫画があった
…ってこと?
わたしは
彼の雑誌の
編集長です
が…
問題の
作品はこれ
なんです

死神は
いつも不気味
に 笑って
いる!
けれど
もし死神の
涙を見た者が
いたら…

冗談じゃない！　死神だなんて!!
厳粛であるべき通夜の席で不謹慎なっ!!
御香典
岡部

人間の死を漫画なんかといっしょにするのかっ!?

そうよっ死神なんて迷信よ！
龍一の事故は偶然の不幸よ！

訃報

みんながいうことがもっともだわ……！

いくら兄さんが変な死に方をしたから…って
忌中
通夜
告別式

死神だなんて！

ザァー

雨になりましたね…
じめじめした…嫌な雨です

風も出て来たみたい…

いやあっ！祭壇のお灯明(とうみょう)がっ!!

だっ…だれっ!? だれなのっ!?

おかしいわ
…だあれも
いな…!?

な…
なんなのっ
いまのはっ
!?
キ

なにかが
あたしの
身体を
とおり抜け
たっ!!

なん
ですって?
幽霊に会っ
たって!?

あれは…
そうとしか
思えないわ
!

兄の
お通夜の晩
変な笑い声
が聞こえて

それが…
あたしの身体
を通り抜け
た時…
氷のような
冷たさと…
なんかネバーッ
とした感じが
…

いいかげんにしてよっ死神だとか幽霊だとか
…!!
死神って大鎌を持ってガイコツの顔をしたあれでしょっ!?
だあれも信じてくれない
あんなものあるわけないじゃないっ
でも…あの顔は…忘れられない!
気になるわ…あの漫画にどんな話が描いてあったのか…?
編集部へ行って…ぜひ見せていただこう!

死神の涙を見てはいけない!!

最期にそういい残して…編集長は急死しました!

なんですって!?

岡本君が交通事故で亡くなってわずか三日後…編集長が心臓発作で…

いったい…『死神の涙』って何なんでしょう?

そういう漫画があるんだ…ってお通夜の夜編集長が
それは私も聞きました…

ですから一所懸命その原稿をさがしたんですけど…
編集部にもどこにも見当たらないんです!
ワーク
20
Hotwork's

きっと…編集長がどこかへ持っていったんだ…と思いますが

あまり気になるので心霊研究家に相談に行こうと…
おねがい!!あたしも連れてって下さい!
レース

ふたりたてつづけに死んだ…とはおだやかじゃないですな

さて…死神というものが本当に存在するのか…ということですが

あの大鎌をもったガイコツ…というのは西欧の想像画であって…
ああいう姿のものは存在しない…と考えていいでしょう！

しかし…心霊科学的に見て…
死神に相当する霊魂は存在します！

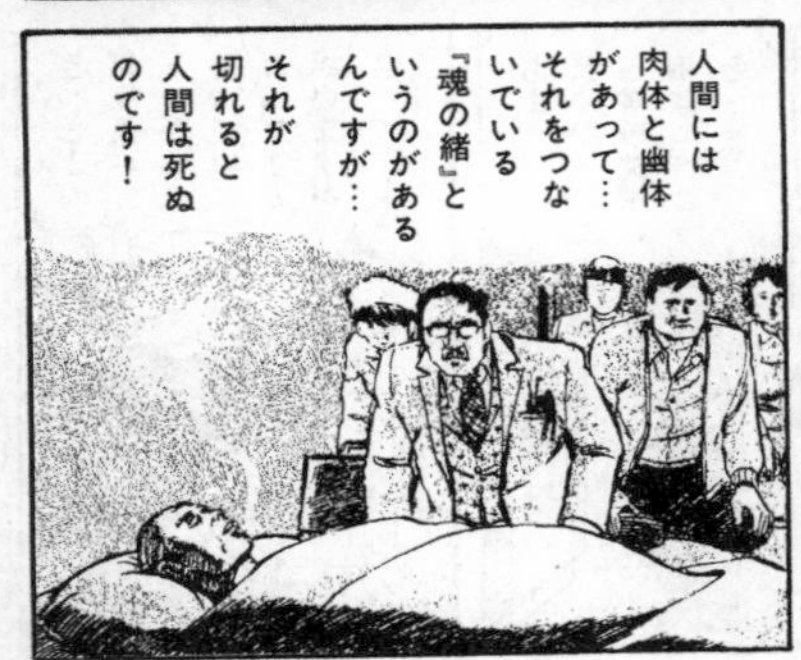
人間には肉体と幽体があって…それをつないでいる『魂の緒』というのがあるんですが…
それが切れると人間は死ぬのです！

人間に
死が近づくと
その魂の緒を
切りにくる役
をつかさど
っている霊魂
が来る……！
つまり
死の助産婦
とでもいい
ますか…

それが
死神に相当
する訳です
ね！

しかし…
その霊魂は
人間にわざ
わいをなす
悪霊では
ない…

だったら
死神の涙と
いうのは…

正直…
わたしにも
わかりません
！
そんな話
一度も聞いた
ことがない…

しかし
ふたりもの
人間が死ん
だとなれば
…
それがもし
霊的要因なら
よほど強力な
悪霊と考え
なきゃなら
ない！

調べる
方法は…
二通り
ある！

まず
問題の漫画
をさがす
こと…
漫画を
とどけた
人物が
わかれば
なおいいが

それと…
霊能者に
おねがいして
霊的な問題か
どうか『霊査』
してもらう
こと…

わかりました
漫画の原稿は
かならずさが
し出します！

では
霊能者の
手配は私が
しておきま
しょう…
世界
妖怪学

あの…
あたしの
身体を通り
すぎたのは
…？

それは
間違いなく
霊魂です！

そんなっ
いやだっ!!
…こわい
霊魂なん
ですかっ
!?

それは
わかりま
せん！

いやだ…！あたし恐ろしくて…
それはあたしだって同じよ!!

でも…死神の涙って…何？
編集長やお兄さんはなぜ死んだの？

わからなかったら…よけい恐ろしいんじゃなくって？

あたし…思い出した！…編集長はオカルト漫画家の…
魔山春夜(まやまはるよ)と親しかったんだ！

もしかしてあの作品…魔山春夜のところに…

ああ…その原稿ならたしかにうちにありますよ！
いそがしくてまだ眼を通してないんだが…

はい…すぐ取りにうかがいます！

見つかったわ!! 原稿っ
さっそくいただいてくるっ！

あなたどうする？いっしょに来る？

彼はこのマンションの十階を仕事場にしているの！

いよう来たなっ！原稿はこれだ！
そこで待ってなさい！

いま下へ行くからっ!!

またひとり
死にましたっ!!
もうあたしたち
恐ろしくてっ!!

こちらが
霊能者の
鶴井さんだ
とにかく
見ていただ
こう!

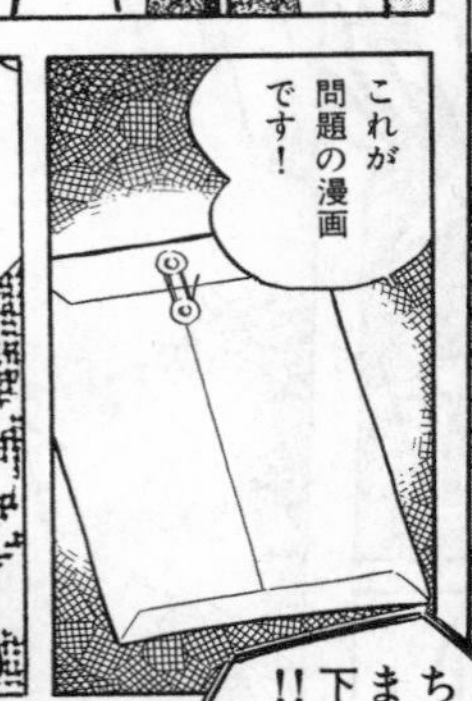
これが
問題の漫画
です!

恐ろしくて
あたしたち
まだ中を
見ていませ
んが…

非常に
興味深いな!
どんな内容
なのかわたしが
さっそく
調べて見よう

ちょっと
まって
下さいっ
!!

これは
いけません
…ひどく
邪悪なもの
を感じます
っ!!

その封筒を
開くまえに
わたしが
霊査をして
みます！

みなさんは
何が起きても
大さわぎしな
いように！
は…
はい

いやだっ
ロウソク
がっ!!

ああっ
なんなの
あれはっ
!?

しっ!!
エクトプラズムだっ!

霊魂があらわれるかも知れないぞ!

ああっ
あの人はっ!!

物質化だっ
霊能者のエクトプラズムを使って…霊魂が姿をあらわしたんだっ

あれはっ…
あたしの身体を通り抜けた…

あなたは
いったい
…？
あたしの
かなしさ
…あたしの
くやしさが
あなたに
わかる？

あたしは…
幼い時から
心臓が悪くて
ずっと病院
ぐらしだった
…
一般の
学校へ
通うことも
できず…

病気の
子供たちの
ための病院
付属の施設
で…
かろうじて
勉強をつづ
けるだけ…

生まれて十八年
他の元気な女
の子のように
…
スポーツを
することも
できずBFと
恋愛する
こともなく…

白い壁の
白いベッドの
上で…来る日も
来る日も…
毎日…毎日
ただ寝たり
起きたりで
…

そんな中で
あたしの
たつた一つ
の夢は…
漫画家に
なること
だつた…

漫画なら
ベッドの上
でも…日本中
に 自分の
作品を見て
もらうことが
できる…
漫画が
好きで好きで
…毎日描いて
いた…

絵だつて
話だつて…
その辺の新人
なんかには
負けない自信が
あつたわ
…!

この霊魂は
漫画家志望
だったんだ
!!

…と…
なると…
専門的な話
は わたし
よりも…
そうだ!
あなたは
編集者だっ
たな!?

ええっ?
あたしが
聞くんで
すかっ!?
そんなっ
…とても
恐ろしくて
できません
!

バカなっ
どこが恐ろしいんだ!?
いままでの話を聞けば実に気の毒な身の上じゃないかっ!?

大丈夫…ちゃんと霊能者もいるんだ!

あなたはどこかの編集部に原稿を見せたんですか?

もちろん見せたわ!最高の自信作を…!!

それで…採用されたの?

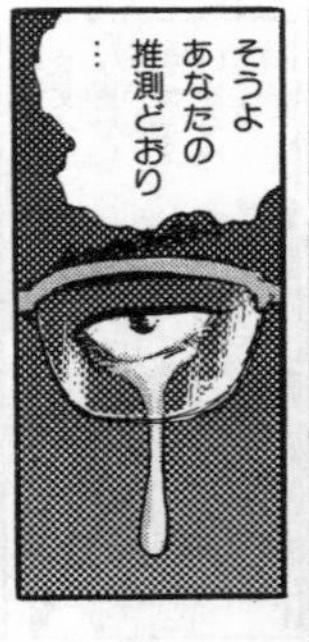

ギャグ作品のつもりらしいですがテーマが暗すぎます もっと実生活の明るい面を描くべきだと思います

実生活の明るい面…？病床のあたしに…どう描けというの？
あたしは目一杯明るい作品を描いたつもりなのよ！

あたしの心は…恨みに変わっていったわ！

だいたい投稿漫画なんて…ヒマのある中堅編集者が片手間で見て独断的批評を加えて送り返してくる…！

たかが五年やそこらの経験の編集者に漫画のなにがわかる…っていうのっ!?

あたしが命をけずりながら　必死に描いた作品…
つまりはあたしの夢を人生の未来を

たった一人の編集者のおざなりな主観で決めつけられてたまりますかっ！

あたしの命はのこりわずか…あたしにはわかっていた！

だから
あたしは…
残る短い命の
すべてを賭けて
恨みをこめて
世にも恐ろしい
作品を描いて
やろうと思っ
たのよ！

それが
『死神の涙』
なんだなっ

呪うわ!!
呪ってやる
のよっ！

わたしの作品
を読んだ者
すべてを呪い
殺してやるん
だわっ！
そうよ！
そう念じて
作品を描き
上げたわ！

最後の
一ページを
描き終えた
晩…
あたしは
心臓発作で
死んだのよ
！

じゃあ
兄さんに漫画の
原稿を渡した
のはあなたの
霊魂なのねっ
!!

みんなあたしの漫画を読めばいいんだ!!
読んで…呪いを受けて死んでしまえばいいんだ！

ああっ部屋がゆれるっ！

ち…ちがうこれはポルターガイスト現象だっ！

地震だわっ！

ズズッ
ズュッ
ズュッ
漫画を読みなさいっあたしの漫画をっ!!
ははははは
ははは

みんなっ眼をとじてっ!!
いけないっ その漫画を読んじゃいけないっ!!
危険ですっ見ないようにっ!!
あたしがいま全力で除霊をしてみますっ!!

ピタッ

読みな
さいっ!!
読むのよ
!

臨兵闘者
…ウッ!

だめだわっ
これは強い
悪霊っ!
あたしの
手には
負えない

ああっ鶴井さんっ!!
ドッ
あああああ
ドス

恐ろしい…あたしはっ!!
あたしはっ…!!
横浜
7056
51
急行
ふみ切り事故だっ
女が遮断機をくぐりぬけたんだ!

『死神の涙』を
見てはいけない!
…それは恐ろしい忠告
でした! 見た者は…
霊能者をもふくめて
みな不可解な死に方を
してしまったのです!!
漫画が人を殺す…
本来そんなことがあろう
はずがありません…!
でもこの場合 漫画が
殺すのではなく それに
こもる怨念が そう
させるのです

なんです？
そんな話
信じない…

そんな漫画が
あるんなら
見てみたい…
ですって？

このドラマに
その漫画の内容
を入れなきゃ
つまらない…
と？

いいですよ
でしたら
扉だけでも
お見せしま
しょうか？
え…？
こわいから
見たくない
…ですって
？

でも…
もう手遅れ
なんですよ
ね！

あなたが
いま読んだ…
この漫画の
タイトル…
なんで
したっけ
？

そうですよ！これが…その漫画なんです!!はじめからそう断ってあったでしょう？
つまり…あなたはもう…!!
死神の涙
え？漫画を読んだ人が助かる方法…？
そんなものあるわけが…オホホホホ
完

編者解説

東　雅夫（アンソロジスト）

落語好きな方であれば、いや、さして積極的な関心はないよ、という向きでも、「死神」と呼ばれる怪談風の演目があることを、あるいは御存知かも知れないし、偶然、テレビ中継などで、ご覧になった方もあるかも知れない。

演者によって、いろいろなタイプの展開がある話だが、金に困った男が死神に気に入られて、ひょんな事から大儲けをして……最期は現実とも夢ともつかない奇妙な中有の世界に誘い込まれて、そこで自身の余命を示す蠟燭に対面させられる……という物語の大筋は、ほぼ一定している。

大衆芸能の世界では有り勝ちな話だが、この「死神」も、幕末明治の天才噺家・三遊亭円朝が、明治二十年代に、西洋種（イタリア・オペラ『クリスピーノと代母』もしくはグリム童話［本書収録］が原典という）を参考に創始したとされているが、正確な成り立ちは、実はよく分かっていない（西本晃二『落語『死神』の世界』という専門の研究書まで刊行されているにも拘らず……）。
「『死神』で、アンソロジーを作れないでしょうか？」

角川ソフィア文庫編集部の竹内さんから、そんな縁起でもない御相談を受けたのは、二年近い昔。実は落語絡みのアンソロジー編纂のお誘いは、それ以前から時折あったのだが、担当者の異動やら何やらで、なかなか具体化せず、このたびようやく、こうして解説を書くところまで漕ぎつけた次第。とはいえ油断は禁物、机に突っ伏してうたた寝してしまい、目が醒めたら眼前に消えかかった蠟燭が……などという怖ろし気なサゲのつかないよう、心して各篇の解説をしてゆきたいと思う。あ、眠気が。

水木しげる「死神のささやき」

さて、本書の巻頭を飾るのは、妖怪漫画の巨匠・水木しげるが描いた〈死神〉だ。水木は〈ねずみ男〉と並んで〈死神〉がお気に入りキャラだったと思しく、『河童の三平』をはじめとする多くのシリーズに登場させている。現役世代にとっては、最も馴染み深い死神像のひとつだろう。本篇には、準主役級キャラとして、文豪・三島由紀夫が登場。三島の衝撃的な自決騒ぎの興奮さめやらぬ時期に書かれた（初出は「週刊漫画サンデー」一九七一年一月九日号）、同時代の証言としても、貴重な一作だと思われる。もう一人の主役〈コケカキイキイ〉は、怪奇紙芝居のキャラとして生まれた架空の生物で、生に執着する貧乏な庶民から〈神〉として崇拝されるに至った。死神とは対照的な存在。

三遊亭円朝／三遊亭金馬（二代目）「死神」
柳家小三治「死神」

本家・落語の「死神」から、新旧を代表する両作品を掲げた。

円朝の元祖「死神」は、角川書店版『三遊亭円朝全集』第七巻（雑纂篇）に収められているが、「円朝門人口演作品」と但し書きが付いている（円朝自身による口演速記は、発見されていない）。そのため同全集では、『三遊亭金馬落語集』（三芳屋書店）から、三遊亭金馬（二代目）による円朝直伝の語りが収録されている。

同書の解題によれば、イタリアのルイージ・リッチ、フェデリコ・リッチ兄弟の歌劇『靴直しクリスピノ』（『クリスピーノと代母』とも）の翻案だとされていたが、グリム童話の短篇「死神の名付け親」と同内容であることが永井啓夫氏の考証によって明らかになったという。前座時代に円朝から噺を教わった二代目金馬は、生涯、円朝の型で演じた。また、円朝門下の三遊亭円遊は、「ほまれの幇間」と改題し、ロウソクの火をともして明るくする演出をしたという。

小三治の「死神」は、底本とした『柳家小三治の落語3』(小学館文庫)の京須偕充氏の解説によると、「原作に近いと思われる『死神』の型を確立したのは六代目三遊亭圓生で、以後の『死神』の変貌は圓生が出発点になっている」という。

圓生は、「消えた……」というセリフの後で、前に倒れこむオチを演じた。その圓生流の「死神」を、小三治は圓生の直弟子である三遊亭圓彌から教わった。

その後も「死神」は、多くの噺家によって演じられており、「単に成功する」「成功するが死ぬ」「失敗するが生きている」ほか、さまざまなサゲが誕生している。小三治は、圓生の型を大胆に一新し、倒れこむ演出をしない、独自の型を作り上げたといえよう。

有名な「あじゃらかもくれんきゅうらいす……」云々の呪言(?)も登場している。


グリム兄弟「死神の名づけ親」第一話/第二話

円朝の「死神」が絶大なポピュラリティを獲得した一因として、その原典のひとつに『グリム童話集』という一見ミスマッチにすら思える組み合わせの意外さがあったのではないかと、私は考えている。思えば民間伝承も落語の世界も、膨大な名もなき民意の集合体なのだった。そして何よりも〈死〉と呼ばれる、全人類にとって永遠の謎である現象を司る〈死神〉の、かくもミステリアス極まる存在感よ……。

織田作之助「死神」

ところで〈死神〉は、落語や漫画のみならず、古来、文学の世界にも、さまざまに暗躍してきた。本書の中盤には、そんな文芸作品の中から、比較的珍しい、知る人ぞ知る作品を紹介してゆきたいと思う。まずは、オダサク……坂口安吾や太宰治と共に、戦後の「無頼派」を代表する作家として知られるが、急逝する直前（一九四七年没）、あたかも自身の運命を予期したかのように、戦中・戦後の暗く混乱した世相の下、嬉々として活躍する死神一党の姿を描いて妙に鬼気迫る、未完の本篇を残している（作中に描かれる連続列車事故は、一九四四年九月に起きた南海電鉄のそれがモデルらしい）。

武者小路実篤「死神と少女」

初出時（「人間」一九四六年七月号掲載）には、タイトルの下に「狂言」と添え書きがある。これまた、戦争を契機に人間不信に陥り、死を希求する青年が、純朴な少女の祈りによって回復してゆくという、いかにも実篤らしい向日性の物語。本篇での死神は狂言廻しとなって登場し、あろうことか、男女の縁結び役まで務めている。

源氏鶏太「死神になった男」

近年、ちくま文庫から復刊が相次ぎ、思いがけず見直されている作者には、かなり大量の怨霊小説というべき長短の作品群があった。それらの再評価を促すべく、本書にも代表的な一篇を採録した。いかにも高度経済成長期の一九六〇年代、明朗健全なサラリーマン小説を営々と量産するかたわら、自分を陥れた「悪い奴ら」への怨恨纏綿たる、これらの作品をものした作者の心意気や、よし！　初出は「小説宝石」七二年六月号。

アラルコン「背の高い女」（桑名一博・菅愛子訳）

小山内薫「色の褪めた女」

鈴木鼓村「色あせた女性」

さて、次に掲げる怪談実話三篇は、ぜひとも一連なりでお読みいただきたい。キイ・マンは、小山内薫である。日本における新劇運動の父と慕われる小山内は、一方で、視えない世界、不可知の世界の、果敢なる探求者でもあった。

こんな一文もある。「私は幽霊というものはあると思っている。怨念というようなものもあると信じている。この宇宙は霊界と物界とで成り立っていて、その霊界と物界との間には、絶えず交通があるものだと確信している。／それ故、私は好んで怪談を読む。殊に西洋の優れた詩人の書いた怪談を読む。（中略）キイルラントの『シエスタ』、アラルコンの『丈の高い女』、コムパアトの『物言わぬ女』なども有名である」（小山内薫「番町の怪と高輪の怪と」より）すでにここでもアラルコンの名前が挙げられているが、死神めく女の恐怖を惻々と描く「背の高い女」に、どうやら小山内は迫真のリアリティを感じていたようだ。その内実を明かしたのが、自身の小説「色の褪めた女」であり、その様子を傍目から描いたのが鼓村の実話「色あせた女性」なのだ！ 小山内の急逝（一九二八年没）と、この色あせた女霊とは、何か関係があるのだろうか……!?

つのだじろう「死神の涙」
妖怪漫画の巨匠・水木しげるに始まった本書の締めくくりには、やはり漫画が相応しい。死神をテーマとした漫画で、もう一冊、欠かすことのできない作品といえばオカルト漫画の巨匠・つのだじろうによる本篇だろう。これも、説明不要の怪作である。

著訳者一覧

水木しげる　漫画家。一九二二年生。著作に『ゲゲゲの鬼太郎』『河童の三平』『悪魔くん』ほか多数。二〇一五年没。

三遊亭円朝　落語家。一八三九年生。代表作に「真景累ヶ淵」「怪談牡丹燈籠」「塩原多助一代記」など。一九〇〇年没。

三遊亭金馬（二代目）　落語家。一八六八年生。本名から「碓井の金馬」と呼ばれた。得意ネタは「笑い茸」「花見酒」「死神」など。一九二六年没。

柳家小三治　落語家。一九三九年生。著作に『ま・く・ら』『バ・イ・ク』『落語家論』など。二〇二一年没。

グリム兄弟　ドイツの文学者・文献学者・言語学者。兄はヤーコプ（一七八五年生、一八六三年没）、弟はウィルヘルム（一七八六年生、一八五九年没）。著作に『グリム童話集』など。

金田鬼一　ドイツ文学者。一八八六年生。著作に『改訳グリム童話集』『新編世界童話選『グリム童話劇』など。一九六三年没。

織田作之助　一九一三年生。小説家。著作に『夫婦善哉』『青春の逆説』『土曜夫人』など。一九四七年没。

武者小路実篤　一八八五年生。小説家。著作に『お目出たき人』『友情』『愛と死』など。一九七六年没。

源氏鶏太　小説家。一九一二年生。著作に『青空娘』『最高殊勲夫人』『停年退職』など。一九八五年没。

ペドロ・アントニオ・デ・アラルコン　一八三三年生。スペインの小説家。著作に『三角帽子』『醜聞』など。一八九一年没。

桑名一博　一九三二年生。スペイン文学者。翻訳書にオルテガ『大衆の反逆』、ケベード『大悪党』、マルケス『ママ・グランデの葬儀』など。二〇一九年没。

菅愛子　一九三三年生。スペイン文学者。一九九八年没。

小山内薫　一八八一年生。劇作家、演出家、小説家。著作に『大川端』、戯曲に「息子」「第一の世界」など。一九二八年没。

鈴木鼓村　一八七五年生。箏曲家、作曲家。箏曲に「厳島詣」「紅梅」、著作に『日本音楽史』など。一九三一年没。

つのだじろう　一九三六年生。漫画家。著作に『恐怖新聞』『空手バカ一代』『うしろの百太郎』など。

底本一覧

水木しげる「死神のささやき」『水木しげる漫画大全集076　コケカキイキイ他』講談社、二〇一三年

三遊亭円朝／三遊亭金馬（二代目）「死神」『三遊亭円朝全集　第7巻』角川書店、一九七五年

柳家小三治「死神」『柳家小三治の落語　3』小学館文庫、二〇〇八年

グリム兄弟／金田鬼一訳「死神の名づけ親　第一話／第二話」『改訳　グリム童話集　2』岩波文庫、一九五四年

織田作之助「死神」『織田作之助全集　7』講談社、一九七〇年

武者小路実篤「死神と少女」「人間」七月号、第一巻、第七号、鎌倉文庫、一九四六年

源氏鶏太「死神になった男」『死神になった男』角川文庫、一九七五年

アラルコン／桑名一博・菅愛子訳「背の高い女」『死神の友達』国書刊行会、一九九一年

小山内薫「色の褪めた女」『小山内薫全集　第1巻』春陽堂、一九二九年

鈴木鼓村「色あせた女性」『鼓村襍記　鈴木鼓村遺稿』古賀書店、一九四四年

つのだじろう「死神の涙」『つのだじろうオカルト自選集2　ドゥエンデ』中公文庫、一九九六年

一、原文の旧仮名遣いは現代仮名遣いに、旧字体は新字体に改めました。
一、本文中には、「盲判」「痴呆」「精神病院」「狂人」「気違い」「狂って」「くるったように」といった語句や表現があります。これらは現代の人権擁護の観点からは差別的で不適切な表現です。しかし、執筆当時の時代背景、その時代における著者の執筆意図を正しく理解するためにも、底本のままとしました。

アンソロジー

死神（しにがみ）

東 雅夫（ひがし まさお）＝編

令和5年 3月25日　初版発行
令和6年 12月10日　再版発行

発行者●山下直久

発行●株式会社KADOKAWA
〒102-8177　東京都千代田区富士見2-13-3
電話　0570-002-301（ナビダイヤル）

角川文庫 23603

印刷所●株式会社KADOKAWA
製本所●株式会社KADOKAWA

表紙画●和田三造

●お問い合わせ
https://www.kadokawa.co.jp/（「お問い合わせ」へお進みください）
※内容によっては、お答えできない場合があります。
※サポートは日本国内のみとさせていただきます。
※Japanese text only

ISBN 978-4-04-400724-9　C0193

◆◇◇

角川文庫発刊に際して

角川源義

第二次世界大戦の敗北は、軍事力の敗北であった以上に、私たちの若い文化力の敗退であった。私たちの文化が戦争に対して如何に無力であり、単なるあだ花に過ぎなかったかを、私たちは身を以て体験し痛感した。西洋近代文化の摂取にとって、明治以後八十年の歳月は決して短かすぎたとは言えない。にもかかわらず、近代文化の伝統を確立し、自由な批判と柔軟な良識に富む文化層として自らを形成することに私たちは失敗して来た。そしてこれは、各層への文化の普及滲透を任務とする出版人の責任でもあった。

一九四五年以来、私たちは再び振出しに戻り、第一歩から踏み出すことを余儀なくされた。これは大きな不幸ではあるが、反面、これまでの混沌・未熟・歪曲の中にあった我が国の文化に秩序と確たる基礎を齎らすためには絶好の機会でもある。角川書店は、このような祖国の文化的危機にあたり、微力をも顧みず再建の礎石たるべき抱負と決意とをもって出発したが、ここに創立以来の念願を果すべく角川文庫を発刊する。これまで刊行されたあらゆる全集叢書文庫類の長所と短所とを検討し、古今東西の不朽の典籍を、良心的編集のもとに、廉価に、そして書架にふさわしい美本として、多くのひとびとに提供しようとする。しかし私たちは徒らに百科全書的な知識のジレッタントを作ることを目的とせず、あくまで祖国の文化に秩序と再建への道を示し、この文庫を角川書店の栄ある事業として、今後永久に継続発展せしめ、学芸と教養との殿堂として大成せんことを期したい。多くの読書子の愛情ある忠言と支持とによって、この希望と抱負とを完遂せしめられんことを願う。

一九四九年五月三日